Les Îles-de-la-Madeleine

Les régions du Québec
histoire en Bref

Le Bas-Saint-Laurent, 1999
Les Laurentides, 2000
La Côte-du-Sud, 2000
Charlevoix, 2002

L'INRS remercie Nathalie Normandeau, ministre déléguée aux Régions et au Tourisme et ministre responsable de la Gaspésie et des Îles-de-la-Madeleine ; la Municipalité des Îles-de-la-Madeleine ; Maxime Arseneau, député des Îles-de-la-Madeleine ; la Commission scolaire des Îles-de-la-Madeleine ; le Conseil régional de développement de la Gaspésie et des Îles-de-la-Madeleine ; Mines Seleine Inc. ; le campus Denise-Leblanc du Cégep de la Gaspésie et des Îles. Leur généreux soutien a permis la rédaction de ce livre.

JEAN-CHARLES FORTIN

Les régions du Québec

histoire en Bref

Les **Îles-de-la-Madeleine**

Les Éditions de l'IQRC

Les Presses de l'Université Laval reçoivent chaque année de la Société de développement des entreprises culturelles du Québec une aide financière pour l'ensemble de leur programme de publication.

Nous reconnaissons l'aide financière du gouvernement du Canada par l'entremise du Programme d'aide au développement de l'industrie de l'édition pour nos activités d'édition. Nous remercions le Conseil des Arts du Canada de l'aide accordée à notre programme de publication.

Photos de la couverture :
Maisons à la pointe de l'Île de la Grande Entrée. (Photo Normand Perron)
Les bateaux au quai de Grosse-Île. (Photo Normand Perron)
Des cages à homard. (Photo Normand Perron)
Endos :
Véliplanchistes dans la lagune du Havre aux Basques. (Centre d'archives des Îles-de-la-Madeleine, Fonds du journal *Le Radar*, 943)
Des plages à perte de vue. (Centre d'archives des Îles-de-la-Madeleine, Fonds du journal *Le Radar*, 27)
Deux baraques à foin dans le secteur du Bassin. (Photo Normand Perron)

Saisie du texte : Marie-Gil Fortin
Maquette de couverture : Mariette Montambault
Conception et mise en pages : Mariette Montambault

Distribution de livre UNIVERS
845, rue Marie-Victorin
Saint-Nicolas (Québec)
Canada G7A 3S8
Tél. (418) 831-7474 ou 1 800 859-7474
Téléc. (418) 831-4021
www.ulaval.ca/pul

La première représentation des Îles-de-la-Madeleine offerte aux jeunes étudiants est souvent celle de ce petit archipel en forme de crochet que le cartographe en mal d'espace a encadré et échoué à quelques kilomètres des côtes gaspésiennes. Plusieurs vont attendre d'être adultes avant de constater que les Îles sont en fait deux fois plus près du Cap-Breton que du rocher Percé. Bonnes âmes, les continentaux vont aussitôt plaindre les Madelinots qui semblent vivre dans un tel isolement. Pour les insulaires qui fréquentent depuis plus de deux siècles la grande confrérie internationale des pêcheurs de l'Atlantique, une région isolée, c'est l'Outaouais ou le Lac-Saint-Jean, le Témiscamingue ou l'Abitibi, surtout pas leur archipel à la croisée des routes maritimes.

L'isolement hivernal, par contre, n'est pas un mythe. Les habitants des rives du Saint-Laurent subissent la dictature des saisons et s'en accommodent, mais aux Îles, l'hiver prend un sens différent quand les glaces interrompent la navigation, et que tout ce dont on aura besoin de décembre à mai doit être entreposé dès novembre. Cette contingence a longtemps retardé l'occupation permanente de l'archipel. Les bandes amérindiennes de la façade atlantique, composées de chasseurs-cueilleurs nomades, ont besoin de vastes forêts giboyeuses pour assurer leur survie hivernale, et les engagés des entrepreneurs d'origine européenne dépendent des approvisionnements de leurs employeurs. Si ces îles ont enfin été peuplées par les Acadiens, c'est que personne d'autre n'était intéressé à s'y établir à demeure. L'amiral Isaac Coffin qui se fait donner l'archipel par la Couronne britannique se retrouve donc avec ces indésirables en lieu et place de ces bons colons anglais ou écossais qu'il aurait voulu établir.

Le lecteur familier de l'histoire des autres régions du Québec se verra transporté dans un univers singulier. Ici, point d'arrière-pays réservoir de fourrure, de billots et de terres à défricher ni de puissantes rivières à dompter. Celui qui vient s'installer sur une île embrasse son domaine d'un regard et en jauge le potentiel limité. Le grand réservoir de richesse de l'archipel n'est pas terrestre ; il repose dans les eaux peu profondes qui l'entourent et au fond de ses lagunes. Les maigres ressources du sol permettent cependant l'établissement de centaines de familles. Les forêts fournissent le bois de construction et de chauffage, et les pentes herbeuses des collines et les prairies naturelles sont favorables à l'élevage.

Les premières générations de Madelinots partagent le savoir-faire et le destin des autres pêcheurs du Québec et des Maritimes et fréquentent les marins américains et français qui se sentent chez eux dans le golfe du Saint-Laurent. Avant la fin du XIXe siècle, toutefois, l'économie de l'archipel s'engage dans une voie qui la distingue des autres régions de pêche du Québec.

Au sommet du cap Dauphin, une vue imprenable sur la Grosse Île, au nord de l'archipel.
(Photo Normand Perron)

La capture du homard dans les lagunes et les «petites eaux» côtières fournit des centaines d'emplois saisonniers sur les fonds de pêche et dans les dizaines de conserveries des Îles. Le *boom* du homard permet aux Madelinots de gagner leur vie sur place et de ne pas rejoindre les larges cohortes de l'émigration rurale qui sévit dans tout l'est du Canada en direction des villes industrielles canadiennes et américaines.

Au XXᵉ siècle, l'épuisement des maigres ressources terrestres de l'archipel pousse aussi les Madelinots sur les chemins de l'exil. Le bois de construction manque et le charbon importé de la Nouvelle-Écosse remplace le bois de chauffage qui fait défaut. Les pâturages naturels ne peuvent supporter un cheptel plus important. Le territoire de l'archipel semble bientôt trop restreint pour permettre l'installation des forts excédents naturels. La petite communauté anglophone, en forte croissance des années 1840 à 1880, souffre aussi du départ d'une grande partie des siens pendant tout le XXᵉ siècle. Handicapés par leur dispersion et leur petit nombre, les anglophones des Îles sont de plus privés de tout encadrement institutionnel depuis le rattachement de l'archipel à la province de Québec en 1774. Les Acadiens des Îles subissent eux aussi l'emprise des marchands néo-écossais, mais ils n'ont pas à lutter pour conserver leur langue comme doivent le faire les Acadiens des Maritimes.

Le transfert des paroisses catholiques des Îles du diocèse de Charlottetown à celui de Gaspé, la multiplication des institutions religieuses et la présence accrue du gouvernement québécois réorientent la société et l'économie insulaire après 1945. L'application de la formule coopérative à presque tous les secteurs de l'économie incite un nombre croissant de jeunes ménages à s'établir de façon définitive. Les réformes issues de la Révolution tranquille, l'avènement des politiques de l'État-providence et la société de consommation achèvent d'intégrer l'archipel, la région la plus particulière du Québec, à sa province.

Les Îles-de-la-Madeleine

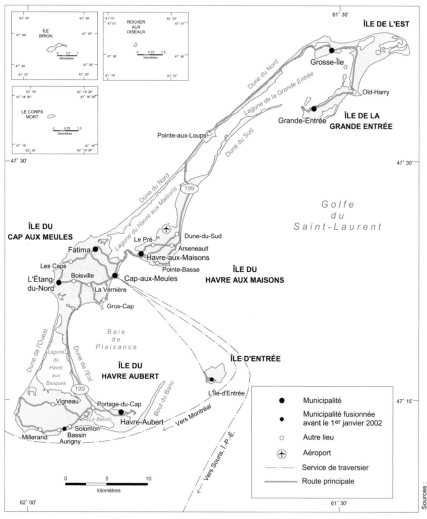

Sources :
Fond de carte : Ministère des Transports du Québec, 2001;
Données : Mise à jour d'une carte du ministère de l'Énergie, des Mines et des Ressources, carte au 1 : 250 000, 1983.
Cartographie : Marie-Claire Dubé

1

Les îles du milieu du golfe

Les Madelinots occupent un archipel de dimensions restreintes, mais fréquentent un immense territoire à la fois terrestre et maritime. Dès le premier coup d'œil, ceux qui viendront habiter les Îles-de-la-Madeleine vont en juger les ressources terrestres limitées. Au fil des décennies, toutefois, ils vont découvrir que l'archipel s'avère favorable à l'occupation permanente. Les richesses de la mer semblent inépuisables, les forêts fournissent suffisamment de bois de construction et de chauffage et le sol sablonneux est propice à la culture de l'aliment de base, la pomme de terre. Mais les îles surgies de la mer demeurent un milieu fragile, sensible à l'érosion et à la pression humaine, plus riche en paysages magnifiques qu'en ressources renouvelables.

La naissance des îles de la Madeleine

Jacques Cartier s'y est d'abord laissé prendre, et bien d'autres voyageurs par la suite. Lorsqu'on arrive aux Îles-de-la-Madeleine par mer, il est impossible de percevoir l'archipel dans toutes ses composantes avant de se trouver à proximité du littoral. Les longues dunes herbeuses reliant plusieurs îles entre elles deviennent alors visibles. D'autres surprises attendent le visiteur à mesure qu'il parcourt le territoire et découvre une série de paysages dont on retrouve difficilement l'équivalent ailleurs. La route le conduit parmi des buttes dénudées et des collines boisées séparées par des plates-formes légèrement ondulées. Plus loin, le chemin rectiligne s'étire sur la dune herbeuse entre eau libre et lagune, le long d'interminables plages de sable blond. Et partout visible où la dune s'abaisse, au détour d'un chemin creux ou au sommet d'une colline, la mer, omniprésente.

Ce paysage remarquable est le fruit d'une longue évolution. Pour en retracer la genèse, il faut remonter jusqu'à 500 millions d'années, quand une fosse marine recouvrait l'actuel golfe du Saint-Laurent et les terres environnantes. À partir des terres émergées, des sédiments s'accumulaient dans cette fosse, formant des couches d'un poids tel que les zones les plus basses se sont affaissées il y a environ 350 millions d'années. Les eaux océaniques s'y sont déversées, puis l'eau de mer s'est évaporée de façon intense sous l'effet de la chaleur torride qui régnait alors. Des quantités phénoménales de sel se sont déposées au fond du bassin. Ces évaporites, mêlées à du sable et de l'argile, ont été partiellement recouvertes par des laves émises par des

La silhouette massive de l'île d'Entrée.
(Photo Marjolaine Dorion)

volcans situés à l'est. Le processus d'accumulation s'est pour-
suivi pendant des dizaines de millions d'années, recouvrant la
couche dominée par les évaporites qui aurait fini par atteindre
pas moins de cinq kilomètres d'épaisseur.

C'est cette profonde couche de sel qui a donné naissance
aux îles de la Madeleine il y a moins de cinq millions d'années.
Devenues presque fluides en raison de la température extrêmement élevée dans les profondeurs où elles étaient enfouies, les
évaporites ont exercé une pression verticale pour monter à la
surface. Le sel a entraîné avec lui une grande quantité de roches
volcano-sédimentaires qui sont à l'origine du noyau central et
des parties les plus élevées du sud et du centre des îles de l'archipel : île d'Entrée, Havre Aubert, Cap aux Meules, Havre aux
Maisons. L'archipel entier repose donc sur une série de colon-
nes, de crêtes et de dômes de sel qui s'enfoncent à plusieurs
milliers de mètres dans l'écorce terrestre.

Pendant les quelques millions d'années qui ont suivi l'émer-
gence des terres, les agents d'érosion se sont attaqués au relief
initial, usant les matières plus tendres et grignotant lentement

Un pied de falaise en érosion rapide à Belle-Anse
sur l'île du Cap aux Meules.
(Photo Normand Perron)

les roches qui dominent aujourd'hui le paysage. Cette érosion différentielle a sculpté et séparé les noyaux rocheux, un archipel s'est formé. Au cours du dernier million d'années, les glaciations successives ont recouvert le Canada et le nord des États-Unis, encerclant l'archipel. Lors de la glaciation dite du wisconsinien inférieur, toutefois, les îles ne seront pas épargnées. Il y a de cela entre 65 000 et 80 000 années, la partie sud de l'archipel est envahie par les glaces jusqu'à la hauteur du havre de L'Étang-du-Nord et de Gros-Cap, sur l'île du Cap aux Meules.

Au moment de la fonte des glaces, l'ensemble de l'archipel a été envahi par les eaux jusqu'à une hauteur de 80 mètres environ. Les noyaux rocheux se sont ensuite relevés, encore sous la poussée des dômes de sel. L'action des pluies et la succession des gels et dégels ont continué, arrondissant buttes et collines. C'est à compter de cette époque que la mer a arraché aux noyaux rocheux les matériaux ensuite transformés en tombolos reliant les îles du groupe principal et enserrant les lagunes. Cette dynamique s'est poursuivie sans trêve depuis, léguant à l'observateur contemporain ces splendides et étonnants paysages.

Un domaine terrestre restreint et fragile

Au terme de cette longue gestation, l'archipel des îles de la Madeleine se présente aujourd'hui sous la forme d'un hameçon orienté du sud-ouest vers le nord-est. Chacune des îles principales est reliée aux autres par des plages au relief dunaire qui enserrent des plans d'eau intérieurs constituant de vastes lagunes. Un peu à l'écart de ce groupe principal se dressent les îles Brion et d'Entrée ainsi qu'une série d'îlots rocheux inhabités. Quelques îlots se retrouvent à l'intérieur des lagunes, comme l'île Rouge et l'île Paquet, à proximité du goulet du Havre aux Maisons. D'autres sont battus par les vagues au large de l'archipel : le rocher du Corps-Mort, l'île aux Goélands, l'île Shagg et les rochers aux Oiseaux.

Les îles de la Madeleine occupent un domaine terrestre restreint, à peine 202 kilomètres carrés en excluant les îlots et la surface des lagunes, ce qui représente une superficie comparable à celle de l'île d'Orléans (192 km^2), ou à celle de l'île Jésus

FIGURE 1.1

Principales zones topographiques des Îles-de-la-Madeleine

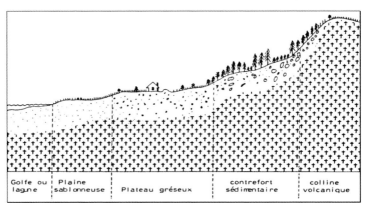

| Golfe ou lagune | Plaine sablonneuse | Plateau gréseux | contrefort sédimentaire | colline volcanique |

Source : François Quirion, 1988.

(240 km²). Les noyaux rocheux occupent les trois quarts de la superficie totale, l'autre quart étant constitué de dunes et de plages. Avec respectivement 52 et 49 kilomètres carrés, les îles du Havre Aubert et du Cap aux Meules accaparent la moitié du territoire de l'archipel. Sur terre, on n'est jamais éloigné de la mer de plus de trois kilomètres. Le relief est plus accusé dans les îles du sud et du centre que dans celles du nord. La topographie du territoire est dominée par des collines et des buttes de forme conique, à pentes raides et dénudées. Le dôme de Big Hill, sur l'île d'Entrée, d'une hauteur de 178 mètres, constitue le sommet de l'archipel.

Les plus importantes superficies encore boisées sont accrochées sur les contreforts des collines des îles du Havre Aubert et du Cap aux Meules. La forêt ne couvre plus guère que le quart de la surface des noyaux rocheux. Le sapin baumier, l'épinette blanche et l'épinette noire en constituent les principales essences. Peu de ces arbres atteignent une taille suffisante pour permettre des activités de sciage. Les insulaires doivent donc importer du continent le bois d'œuvre nécessaire à la construction des édifices et, au XIXᵉ siècle, à celle des barges et des goélettes.

Le bois de chauffage a commencé à manquer vers 1880 et a graduellement été remplacé par le charbon de la Nouvelle-Écosse, dans les conserveries et les commerces d'abord, puis dans les résidences, au cours de la première moitié du XXᵉ siècle.

La végétation herbacée impose sa prédominance sur environ 70 % du territoire, à diverses altitudes. Sa croissance, stimulée par le climat maritime, est remarquable sur les plateaux au pied des collines. Ces prairies naturelles constituent le principal actif agricole des îles. Dès le début du XIXᵉ siècle, les Madelinots les exploitent comme pâturage et y récoltent le foin nécessaire à l'hivernement des animaux. En 1870, les insulaires y font paître 10 000 bêtes. Plusieurs milliers d'hectares sont aussi propices à la culture, notamment à celle de la pomme de terre et du navet, des aliments qui font partie de la diète quotidienne des Madelinots jusqu'au milieu du XXᵉ siècle. Ces cultures sont engraissées par l'épandage de hareng et d'œufs de hareng, puis de carcasses de homard, résidus des conserveries.

Si le climat maritime humide favorise la croissance des herbages, les précipitations ne sont par contre guère diluviennes. En fait, les îles ne reçoivent que 900 mm d'eau par année contre plus de 1 100 à Québec. Ce sont les brouillards fréquents et la nébulosité qui entretiennent l'humidité. Le ciel est couvert totalement ou en partie plus de 250 jours par année et on enregistre plus de 80 jours de brouillard. Les températures sont, à la fois, moins élevées en été et moins froides en hiver que celles qu'on relève sur le continent à des latitudes comparables. Les températures atteignent leurs niveaux extrêmes en août et en février, un mois plus tard que sur le continent. La mer est la grande responsable de ce décalage, ralentissant le réchauffement printanier et retardant le refroidissement automnal.

Confection des grosses meules de foin sur l'île d'Entrée.
(Coll. Musée de la Mer)

CARTE 1.1
Possibilité d'utilisation agricole des sols

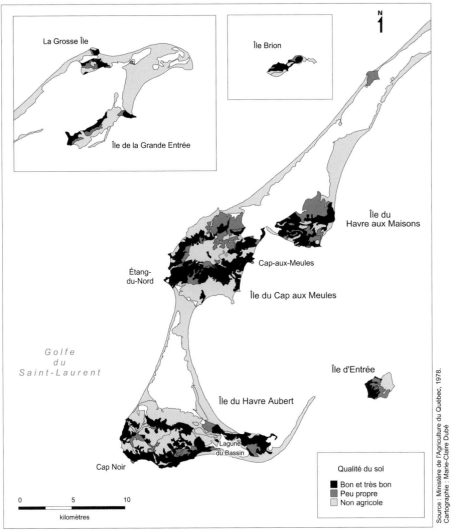

La Grosse Île

Île Brion

N

Île de la Grande Entrée

Île du Havre aux Maisons

Étang-du-Nord

Cap-aux-Meules

Île du Cap aux Meules

Golfe du Saint-Laurent

Île d'Entrée

Île du Havre Aubert

Lagune du Bassin

Cap Noir

0   5   10

kilomètres

Qualité du sol

■ Bon et très bon
■ Peu propre
☐ Non agricole

Source : Ministère de l'Agriculture du Québec, 1978.
Cartographie : Marie-Claire Dubé

CARTE 1.2
Situation des glaces dans le golfe du Saint-Laurent

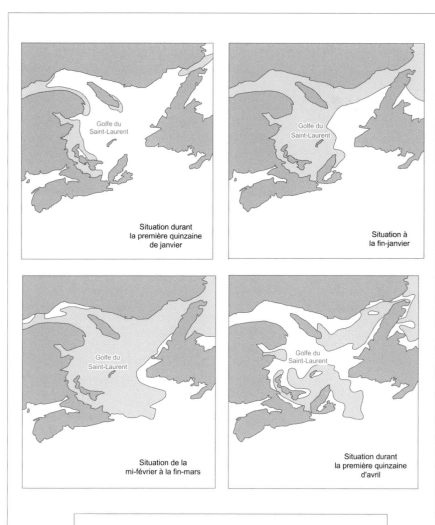

Golfe du
Saint-Laurent

Situation durant
la première quinzaine
de janvier

Golfe du
Saint-Laurent

Situation à
la fin-janvier

Golfe du
Saint-Laurent

Situation de la
mi-février à la fin-mars

Golfe du
Saint-Laurent

Situation durant
la première quinzaine
d'avril

Couverture de glace dans la proportion de 4 / 10 et plus
de la surface hydrographique; au-delà de ce seuil, la navigation
devient difficile et dangereuse (comprend aussi les glaces côtières).

Source : Modifié de Jean Chaussade, *La pêche et les pêcheurs des provinces maritimes du Canada*, Montréal, Presses de l'Université de Montréal, 1983, p. 55.
Cartographie : Marie-Claire Dubé

L'hiver a une résonance spéciale sur l'archipel isolé par les glaces un bon tiers de l'année. Le baril de farine dont on aura besoin en avril doit déjà s'y trouver en novembre. Aux glaces de formation locale s'ajoutent celles qui proviennent de l'estuaire du Saint-Laurent et du Labrador. Sous l'influence des vents et des courants, elles s'accumulent en bancs compacts autour de l'archipel, bloquant les havres et paralysant la navigation. Au printemps, cette situation semble s'éterniser. Les îles de la Madeleine sont situées dans un secteur où le départ des glaces est tardif. Une année sur dix en moyenne, les havres ne sont dégagés qu'au début de mai. Les Madelinots ont souvent attendu avec anxiété la reprise de la navigation.

Dunes et lagunes, des milieux de vie

Année après année, le vent, les vagues et les glaces transforment de façon constante la physionomie de l'archipel, arrachant aux noyaux rocheux des dépôts meubles qui s'accumulent sur les plages, puis forment les dunes. Les falaises de grès rouge, de loin les plus répandues et les plus friables, sont l'objet d'une érosion rapide ; celles qui sont constituées d'un grès de coloration gris-vert, et qui s'élèvent parfois à plus de 70 mètres, résistent mieux à l'assaut des éléments. Plus de 60 % des 385 kilomètres du littoral sont composés de plages souvent surmontées d'une dune. Ces plages et ces dunes sont aussi soumises à l'action du vent, des vagues et des courants. Le côté ouest des Îles, exposé aux vents dominants, est plus sujet aux forces d'érosion, alors qu'à l'est les plages gagnent du terrain sur la mer.

Du côté de la mer, les dunes présentent souvent un front abrupt. En retrait des plages, elles adoptent la forme de vagues qui peuvent parfois atteindre 15 mètres d'altitude. Ici et là, d'anciennes dunes bordant jadis le littoral s'allongent en sillons parallèles recouverts de tourbières et de pessières dont le meilleur exemple peut être observé au nord de l'île du Havre aux Maisons. Généralement, les dunes circonscrivent les vastes lagunes, mais certaines ont l'aspect de flèches littorales qui prennent le chemin du large, comme c'est le cas aux deux extrémités du groupe principal. Une végétation propre aux milieux sableux contribue à fixer ces surfaces meubles près du rivage. Extrêmement fragile, cette végétation demeure au cœur des efforts de conservation des écologistes de l'archipel.

L'automobiliste qui effectue le trajet de 90 kilomètres conduisant du Havre Aubert à la Grande Entrée a tout son temps pour observer les trois vastes lagunes du Havre aux Basques, du Havre aux Maisons et de la Grande Entrée. Les deux dernières, plus profondes, ne font guère plus de sept mètres, mais elles constituent tout de même un milieu grouillant de vie. Les micro-organismes nourris par les sels minéraux s'y propagent rapidement. Le réchauffement des eaux intérieures en été attire des

Des plages à perte de vue, rarement encombrées.
(Centre d'archives des Îles-de-la-Madeleine, Fonds du journal *Le Radar*, 27)

invertébrés dont la reproduction et la croissance se trouvent facilitées. Plusieurs espèces de poissons empruntent aussi les goulets pour frayer dans les lagunes. Mais c'est la découverte de la présence massive du homard dans ces viviers naturels qui va bouleverser l'économie de l'archipel à compter de 1875.

La lagune du Havre aux Basques, par contre, accessible à marée haute jusqu'en 1955, année de sa fermeture lors de la construction de la route principale, n'a pas la même richesse. Une partie de la lagune est aujourd'hui ensablée, particulièrement au nord, comme en témoigne la densité de la végétation. Cette modification de l'environnement lagunaire n'a pas eu que des effets négatifs, car elle a permis d'ajouter quelques hectares d'abris végétatifs à la faune ailée. Plusieurs espèces d'oiseaux sont attirées par les nombreux sites d'alimentation qu'elles trouvent dans les lagunes. La majorité sont des oiseaux de rivage qui fréquentent les eaux peu profondes : hérons, goélands et mouettes, bécasseaux, pluviers, canards de mer, courlis, d'autres encore.

La lagune du Havre aux Maisons. Au fond, la passe donnant accès à la mer est surmontée d'un pont reliant les îles du Havre aux Maisons et du Cap aux Meules.
(Photo Normand Perron)

Le pluvier siffleur, le grèbe esclavon et la sterne de Dougall peuvent aussi parfois être observés dans les milieux humides ou sur les dunes. D'autres oiseaux qui vivent communément en colonies sont d'habiles plongeurs en eaux profondes et ne viennent à terre que pour se reproduire. La plupart nichent le long des falaises ou sur des îlots rocheux. Les plus familiers sont les cormorans, dont la silhouette longiligne est partout visible dans les secteurs littoraux. L'île Brion et les rochers aux Oiseaux sont des refuges privilégiés pour ces oiseaux coloniaux : macareux, godes, sternes, marmettes, pétrels, fous de Bassan. Par contre, les foisonnantes faunes marine et ailée n'ont guère d'équivalent terrestre aux Îles-de-la-Madeleine ; le renard roux, le lièvre, récemment introduit, et quelques petits rongeurs en sont les seuls représentants.

La mer, généreuse et cruelle

Les Îles-de-la-Madeleine possèdent, comme la plupart des régions du Québec continental, un « arrière-pays » riche en ressources naturelles. On ne peut comprendre l'histoire des Madelinots sans référer à leur immense domaine marin de milliers de kilomètres carrés d'eaux poissonneuses. L'archipel repose au sommet d'un large plateau marin peu profond, rarement plus de 80 mètres, qui traverse le golfe pour relier la Gaspésie à l'île du Cap-Breton, et appelé plateau Madeleinien. Cette plateforme d'environ 180 kilomètres de l'est à l'ouest et de 100 du nord au sud prolonge la structure des Appalaches et explique la faible profondeur de même que la température plus chaude des eaux entourant l'archipel. Les Madelinots vivent donc au milieu de fonds marins rapprochés et accessibles particulièrement favorables à la vie marine.

Les îles de la Madeleine baignent dans un mélange d'eaux fluviales et océaniques qui proviennent de l'estuaire du Saint-Laurent, du détroit de Belle-Isle et du détroit de Cabot. La circulation des eaux est activée par des courants de directions et d'intensité variables sous l'effet produit par la rotation de la terre.

CARTE 1.3
Les chenaux du golfe du Saint-Laurent

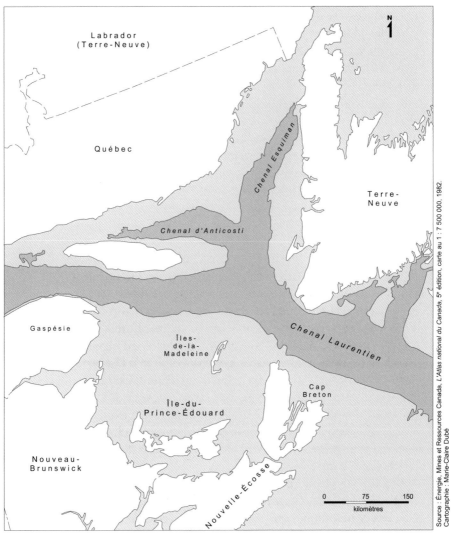

Source : Énergie, Mines et Ressources Canada, L'Atlas national du Canada, 5ᵉ édition, carte au 1 : 7 500 000, 1982.
Cartographie : Marie-Claire Dubé

En surface, le puissant courant de Gaspé induit un mouvement giratoire, dans le sens opposé à celui des aiguilles d'une montre, dans la partie supérieure du golfe. Au sud, il se divise en plusieurs branches qui entrent en contact avec des courants locaux autour de l'archipel. Là, les vents souvent violents brassent verticalement les couches d'eau et provoquent des courants de surface, déplacements horizontaux perceptibles jusqu'à 40 mètres de profondeur.

Au voisinage des Îles, les fonds marins se partagent en deux zones concentriques. La plus éloignée et la plus vaste, à une profondeur de 18 à 36 mètres, environne les îlots et les hauts-fonds disséminés au large de l'archipel. La deuxième, plus rapprochée et relativement plane, représente le secteur par excellence de la pêche côtière, avec ses « petites eaux » dont la profondeur n'excède pas 18 mètres. À l'ouest et au sud de l'archipel, l'inclinaison plus prononcée des fonds marins favorise la pêche aux poissons de fond. Au nord et surtout à l'est, la pêche côtière peut être pratiquée sur un plus large plateau, notamment dans la vaste baie de Plaisance, entre les îles du Havre Aubert et du Havre aux Maisons, dont la profondeur ne dépasse jamais les neuf mètres.

Profondeur, température, salinité et oxygénation de l'eau influent sur les activités biologiques. À l'échelle microscopique, le phytoplancton, résultat de la multiplication printanière des algues planctoniques, forme des nappes de surface qui atteignent souvent de grandes densités. Cette manne nourrit le zooplancton constitué de larves issues de la reproduction d'une large gamme d'organismes marins, ainsi que d'une quantité monumentale de copépodes, crustacés minuscules dont l'allure évoque la crevette. À son tour, le zooplancton alimente les mollusques filtreurs sédentaires enfouis dans le sable ou la vase (mye, mactre d'Amérique, couteau), ou qui vivent accrochés à des roches ou bien reposent librement sur les fonds, comme la moule bleue ou le pétoncle géant. Les invertébrés, eux, se déplacent selon la température de l'eau. Dans cette catégorie, deux crustacés font l'objet d'une exploitation intensive : le homard et le crabe des neiges.

Au moins une tren-
taine d'autres espèces de
poissons séjournent ou
passent près des îles en
raison de leur emplace-
ment au milieu du golfe.
La morue, le sébaste, la
plie et le flétan sont parmi
les poissons de fond les
plus convoités. La morue
aux migrations imprévisi-
bles vit à la limite de la
pêche côtière des insulaires, à des profondeurs va-
riant de 18 à 80 mètres. Le
sébaste, aussi appelé poisson rouge à cause de sa
coloration allant du rose
pâle au rouge orangé, a
longtemps été ignoré par
les pêcheurs en raison de

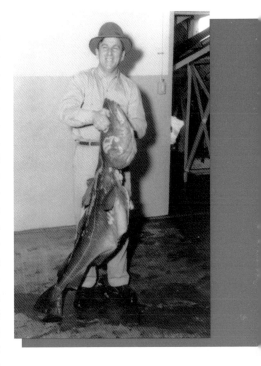

la profondeur des eaux qu'il fréquente. La plie et le flétan sont
des poissons plats dont les yeux sont placés du même côté de
leur corps aplati. Là s'arrête la comparaison. La plie ne dépasse
guère les 50 cm, alors que le flétan peut atteindre une forte taille
et peser des centaines de kilos.

Plus haut dans la colonne d'eau, le hareng et le maquereau,
deux poissons pélagiques, se déplacent en bancs compacts. À
l'époque du frai printanier, le hareng s'approchait autrefois des
côtes en bancs immenses, surtout dans la baie de Plaisance, co-
lorant les eaux d'un blanc laiteux et déposant sur les rivages
une couche d'œufs pouvant atteindre un mètre d'épaisseur. Les
Îles ont longtemps constitué la première escale printanière de
pêcheurs américains, français et néo-écossais venus chercher le

Isaac Bourgeois exibe un beau spécimen de morue.
(Coll. Musée de la Mer)

hareng nécessaire pour appâter leurs lignes. Quant au maquereau, surtout capturé en fin d'été et à l'automne, il a parfois constitué le deuxième produit des pêches en valeur, derrière la morue, avant 1880, puis après le homard, par la suite.

La mer n'est pas seulement généreuse en mollusques, crustacés et poissons, elle l'est aussi en mammifères marins. La présence de vastes colonies de morses, les « vaches marines », est responsable des premiers établissements sur l'archipel. Après leur extinction, avant 1800, c'est le loup marin qui est devenu l'objet d'une courte période de chasse printanière qui perdure depuis. C'est surtout le phoque du Groenland, une espèce migratrice, qui a fait l'objet d'une exploitation intensive depuis deux siècles. Originaire des régions arctiques, il fuit l'hiver polaire à l'automne pour s'alimenter parmi les glaces du golfe. En mars, les femelles mettent bas sur la banquise, chacune donnant naissance à un blanchon couvert d'une épaisse fourrure blanche. Le petit phoque commun et le phoque gris, plus massif, fréquentent l'archipel à longueur d'année, élisant souvent domicile à proximité d'îlots et de récifs.

Des garçons admirent le flétan de 360 kg capturé
par Vital Bourque, en 1920.
(Coll. Musée de la Mer)

La mer pourvoyeuse a aussi régulièrement prélevé un lourd tribut. Plusieurs de ceux qui sont « allés aux glaces », à la chasse au phoque, n'en sont pas revenus. Combien de pêcheurs côtiers dans leur petite barque ouverte ont-ils été victimes d'un soudain coup de vent ? Autour des Îles, les îlots rocheux et les hauts-fonds constituent aussi un danger permanent. Au temps de la marine à voile, c'est toujours avec inquiétude que l'on approchait de l'archipel, soumis aux forts courants, aux fréquents brouillards et aux banquises dérivantes. Au large de l'archipel, dans toutes les directions, des centaines d'épaves plus ou moins anciennes gisent sous quelques brasses d'eau, enfouies dans le sable. De nombreuses familles ont recueilli des survivants de naufrages et quelques-unes descendent de l'un ou l'autre de ces rescapés.

Au bout de la trappe à hareng, une gabarre pleine à ras bord. La laitance du hareng donne à l'eau une couleur blanchâtre.
(Coll. Musée de la Mer, Office du film du Québec, 2156-1954)

Ces périls de la mer, les Madelinots les ont aussi affrontés loin de leur archipel, sur les fonds de pêche de la Minganie et du Labrador, sur les routes commerciales de Pictou, de Halifax et de Québec. Contrairement aux autres régions du Québec, les Îles-de-la-Madeleine ne peuvent profiter d'un arrière-pays réservoir de fourrures, de billots et de terres à défricher, de puissantes rivières à dompter. C'est pourquoi leur immense et mouvant territoire d'exploitation, pris dans les glaces plusieurs mois par année, fait autant partie de leur histoire que les quelques kilomètres carrés de leur archipel du milieu du golfe du Saint-Laurent.

2

L'exploitation saisonnière et l'établissement pionnier

Les Îles-de-la-Madeleine constituent pendant des millénaires un territoire d'exploitation saisonnière, par les Amérindiens de la préhistoire, puis par des entrepreneurs d'origine européenne. Pendant tout le Régime français, les chasseurs basques, français, canadiens, acadiens et micmacs viennent y chasser le morse. Mais c'est un événement politique qui va conduire à l'occupation permanente de l'archipel. La fin de l'Acadie française lui procure ses premiers réfugiés, qui seront rejoints par d'autres Acadiens déracinés en 1793. L'incroyable richesse des fonds marins et les autres ressources naturelles des Îles vont permettre l'établissement de centaines de familles d'origine acadienne et de dizaines d'immigrants anglais, écossais et irlandais avant 1875. À cette date, les Madelinots se sont déjà accommodés de la principale contrainte de la vie insulaire, les cinq mois d'isolement hivernal.

Au temps de la vache marine

Au cours des dernières décennies, les archéologues ont recueilli des preuves, surtout des pierres façonnées par l'homme, qui laissent entrevoir une présence aux Îles, depuis plusieurs millénaires, d'Amérindiens de la préhistoire. Ce matériel archéologique a été découvert en toutes sortes d'endroits sur la plupart des îles. Ce constat ne prouve toutefois pas une occupation importante et de longue durée. L'archipel est bien loin du continent pour des Amérindiens qui ont l'habitude de longer les côtes sur leurs frêles esquifs. De plus, l'absence de gros gibier, la principale source de survie hivernale pour les groupes de chasseurs-cueilleurs de la façade atlantique, empêchait l'exploitation permanente des Îles. On peut supposer que ce sont les colonies de phoques et de morses qui attiraient les chasseurs saisonniers sur l'archipel.

Nous devons à l'explorateur malouin Jacques Cartier la première description des îles de la Madeleine, en 1534 d'abord, puis en 1536, alors qu'il retourne en France au terme de son hivernement à Québec. Après avoir pénétré dans le golfe du Saint-Laurent par le détroit de Belle-Isle avec ses deux navires, il atteint les rochers aux Oiseaux le 25 juin 1534. Cartier débarque ensuite sur l'île qu'il nomme Brion, dont l'aspect lui laisse une agréable impression, puis poursuit sa route en longeant le littoral ouest de l'archipel. Il ne reconnaît toutefois pas le caractère insulaire des terres qu'il découvre, les croyant rattachées au continent. Il explore ensuite la baie des Chaleurs, plante une croix symbolique à Gaspé, puis ressort du golfe par le détroit de Belle-Isle.

Le 24 mai 1536, Jacques Cartier se présente de nouveau aux abords de l'île Brion sur son trajet de retour en France. Se dirigeant vers le sud, il relève bien cette fois l'existence d'un archipel. Les îles du Havre aux Maisons, du Cap aux Meules et du Havre Aubert lui apparaissent avec netteté, reliées entre elles par d'étroites dunes de sable, d'où l'expression « Les Araynes » (du latin *arena* signifiant « sable ») inscrite dans sa relation de voyage. Traduite en plusieurs langues, elle sera l'une des désignations des Îles pendant un siècle. Cette fois-ci, Cartier fait voile vers l'est, ce qui lui permet de découvrir la vraie porte du golfe, le détroit qui sépare Terre-Neuve de l'île du Cap-Breton.

Après Cartier, la France va se désintéresser pendant des décennies des contrées explorées en son nom. Mais les richesses des Îles, surtout les vastes colonies de mammifères marins, sont désormais connues. D'ailleurs, les Micmacs fréquentaient déjà l'archipel avant 1534. Ce groupe de la famille algonquienne, comptant de quatre à cinq mille membres au XVIe siècle, occupe alors les rivages méridionaux du golfe jusqu'au Maine. Navigateurs aguerris, ils construisent des canots d'une dimension suffisante pour circuler en pleine mer. Déjà, toutefois, les Îles captent l'attention des producteurs d'huiles, d'ivoires et de peaux d'origine européenne. Les baleiniers basques, présents depuis les années 1540 sur les côtes du Labrador, sont attirés par

Un groupe de morses
(Photo Jean-???)

les échoueries couvertes des précieux morses. De ces expéditions des chasseurs basques, il n'est resté que peu de traces, si ce
n'est quelques appellations, comme le « Havre aux Basques ».

Au cours de la dernière décennie du XVIe siècle, les monar-
chies anglaise et française, fascinées par la richesse des colonies
espagnoles d'Amérique, s'intéressent à nouveau au continent.
Au tournant du siècle, ils multiplient les tentatives de colonisation depuis la Virginie, au sud, jusqu'à Terre-Neuve, au nord.
C'est à cette époque qu'ont lieu une série d'expéditions à la fois
françaises et anglaises qui laissent des traces écrites. À compter
de 1591, pêcheurs de morue et chasseurs de morse bretons, basques, anglais et micmacs se côtoient sur les plages des Îles. En
1597, la rivalité tourne à l'affrontement. Quelque 200 Basques
et Bretons ouvrent le feu sur l'équipage du navire anglais
Hopewell qui est contraint à la fuite, sous l'œil sans doute per-
plexe des 300 Micmacs campés non loin de là.

Durant tout le Régime français, l'archipel demeure un territoire d'exploitation saisonnière pour le phoque du Groenland,
le morse et la morue. Ses ressources sont désormais connues et
la juridiction française n'est pas contestée, même si les Basques
et les Micmacs continuent leurs expéditions estivales. Les ta-
lents de cartographe de Samuel de Champlain, le fondateur de
la Nouvelle-France, fournissent enfin une idée précise de la
position des Îles dans le golfe et des toponymes qui vont perdu-
rer. Pour la première fois, il inscrit le toponyme « La Magdelène »
pour nommer l'île du Havre Aubert sur sa célèbre carte de 1632.
Au cours des années 1660, François Doublet, un marchand
exploitant les Îles, étend l'appellation à tout l'archipel.

Les concessionnaires français qui exploitent l'archipel visent
moins l'établissement d'une colonie de peuplement que l'allon-
gement de la période de travail. L'hivernement des engagés leur
permet d'être à pied d'œuvre dès la fin de l'hiver, la meilleure
période de chasse. En 1635, Nicolas Denys obtient des droits
sur une vaste concession allant du Cap-Breton à Gaspé. Vers
1660, il permet à un entrepreneur de faire hiverner des hommes
aux Îles. Des Basques, puis des Français au service de François
Doublet, le nouveau concessionnaire, y passent aussi l'hiver dans

les années suivantes. Avant la fin du siècle, d'autres expéditions sont menées depuis l'Acadie et le Québec.

En 1713, Terre-Neuve et la Nouvelle-Écosse deviennent définitivement anglaises, suivant les termes du traité d'Utrecht. La France déploie ensuite beaucoup d'efforts pour développer une nouvelle Acadie sur le pourtour méridional du golfe du Saint-Laurent. Elle érige une forteresse sur l'île du Cap-Breton, Louisbourg, qui devient le centre de pêche le plus important de la Nouvelle-France. Les îles de la Madeleine, à mi-chemin entre Gaspé et Louisbourg, acquièrent une importance stratégique. L'huile tirée de la chasse au morse est négociée à Louisbourg et les autorités coloniales y encouragent et protègent les expéditions de leurs alliés micmacs. Les Îles sont de plus en plus fréquentées jusqu'à la guerre de la succession d'Autriche et la capitulation de Louisbourg, en 1745. La longue période de guerre coloniale qui va mener à la capitulation de la Nouvelle-France ouvre un nouveau chapitre dans l'histoire des Îles-de-la-Madeleine, celui de l'occupation permanente.

Les Anglo-Américains, désormais en position de force dans leur colonie de Nouvelle-Écosse, décident de déporter les Acadiens neutres vivant sur leur territoire. À compter de 1755, ils les embarquent de force sur des navires et les dispersent dans les colonies britanniques de la côte atlantique. Les fuyards se multiplient, cherchant une protection française à Québec, sur l'île Royale (Cap-Breton), sur l'île Saint-Jean (île du Prince-Édouard), le long des rivières Saint-Jean et Miramichi, à Ristigouche. La seconde prise de Louisbourg, à l'été 1758, provoque la déportation vers l'Angleterre et la France de la majorité des Acadiens déjà déracinés. Il n'est pas impossible que quelques-uns aient trouvé refuge aux îles de la Madeleine avant la reddition de la Nouvelle-France.

Au début des années 1760, le colonel Richard Gridley, originaire de la Nouvelle-Angleterre et vétéran de la guerre de la Conquête, obtient des nouvelles autorités la permission d'exploiter les colonies de morses des îles de la Madeleine. Gridley veut mettre à profit les connaissances d'un petit groupe d'Acadiens experts en chasse au morse. En 1763, une proclamation

royale place les Îles sous la juridiction de Terre-Neuve. Bientôt, les Acadiens qui ont échappé au « Grand Dérangement » de 1755-1758 peuvent s'installer dans les Maritimes contre un serment d'allégeance au roi d'Angleterre. Les engagés de Gridley, 17 Acadiens et 5 Canadiens, prononcent le serment en 1765. L'établissement principal de Gridley est sur l'île du Havre Aubert, près du cap qui porte désormais son nom, même si la chasse est surtout pratiquée au nord-est de l'archipel.

L'arpenteur général Samuel Holland a laissé une description détaillée de la chasse aux Îles en 1765. La principale colonie de vaches marines est située à la Grande Échouerie, au nord de l'île de la Grande Entrée. Des milliers de morses, des gros mammifères pouvant atteindre trois mètres et peser plus d'une tonne, s'y rassemblent à l'été, attirés par les fonds sablonneux riches en mollusques dont ils raffolent. Les chasseurs se glissent

L'île du Havre Aubert en 1866. Cette gravure de Thomas Pye fait voir la grave, le havre, le cap Gridley, nommé ainsi en souvenir de Richard Gridley qui en avait fait la base de ses opérations.
(Archives nationales du Canada, *Scenery Districts of Gaspé, 1866*)

à la tombée de la nuit dans la masse des corps assoupis, puis se lèvent en criant de façon à détacher du troupeau 300 à 400 individus. Les bêtes affolées, séparées en groupes de 30 à 40, sont conduites vers le lieu d'abattage à environ un kilomètre et demi de là. La graisse est fondue et des navires chargent les barils d'huile à la Grosse Île dotée d'un bon point d'ancrage. En automne, la chasse reprend à la Petite Échouerie de l'Ouest, à Gros-Cap, sur l'île du Cap aux Meules.

C'est à cette époque que débute le véritable peuplement des îles de la Madeleine. L'occupation permanente de l'archipel par des Acadiens remonte peut-être déjà aux années 1750, car ceux qui apposent une croix, en guise de signature pour signifier leur adhésion à la Couronne, en 1765, sont accompagnés de femmes et d'enfants. Originaires pour la plupart de l'île du Prince-Édouard, ils ont pour noms Boudreau, Chiasson, Cormier, Lapierre, Haché, Doucet, Desroches, Poirier... D'autres viennent les rejoindre à partir de l'archipel Saint-Pierre-et-Miquelon où ils s'étaient réfugiés lors du Grand Dérangement. En 1774, les Îles sont rattachées à la province de Québec. La population totalisant une quinzaine de familles commence à fréquenter une minuscule chapelle à Havre-Aubert. Au cours des années 1780, les insulaires commercent de plus en plus avec les Américains, désormais très présents dans le golfe du Saint-Laurent. La chasse intensive a déjà décimé les troupeaux de morses et c'est désormais la morue qui attire les pêcheurs de la Nouvelle-Angleterre.

Les Acadiens s'installent

En 1793, les incessantes rivalités anglo-françaises viennent renforcer la présence acadienne aux Îles. Les îles Saint-Pierre et Miquelon sont

Timbre commémoratif de la migration de Miquelon vers les Îles-de-la-Madeleine émis par le gouvernement français en 1993.
(Coll. Germain Thériault, Rimouski)

conquises par une flotte britannique et leur population est déportée en France. Environ 250 Acadiens vivant à Miquelon devancent de peu cet autre «dérangement» et s'enfuient en chaloupes vers les îles de la Madeleine. Ces Vigneau, Cyr, Leblanc, Bourg, Thériault et Hébert sont accompagnés de leur chef spirituel, le père spiritain Jean-Baptiste Allain, un prêtre réfractaire, c'est-à-dire opposé à l'emprise de la nouvelle constitution française sur la vie religieuse. Ce soudain apport porte la population à environ 400 insulaires. Près de 40 années plus tard, en 1831, le recenseur va dénombrer 1 057 Madelinots. Compte tenu de la forte croissance naturelle attendue de cette féconde population acadienne, le bilan est bien pauvre. Il implique des départs ou des crises de mortalité, peut-être les deux.

Au terme d'une douzaine d'années de démarches auprès des autorités britanniques, l'amiral Isaac Coffin devient, en 1798, propriétaire à perpétuité des Îles. Ce natif de Boston, qui a combattu du côté anglais lors de la guerre de l'Indépendance américaine, espère, comme bien des militaires aux services reconnus, se créer ainsi une rente en vue d'une retraite prochaine. Les espoirs de l'amiral seront vite déçus. D'abord, deux siècles de chasse ont fait disparaître ce qui était reconnu comme la principale richesse des Îles, les colonies de morses. Les chasseurs américains ont massacré les derniers dans les années 1780 et 1790. Ensuite, les exilés loyalistes américains ou les immigrés anglais, écossais et irlandais ne sont guère intéressés par ces îles isolées par les glaces cinq mois par année. Les colons de Coffin seront, par défaut, ces Acadiens persuadés d'avoir trouvé un refuge dont personne d'autre ne voudrait.

Pendant tout le XIXᵉ siècle, les Îles vont naviguer dans un flou juridique qui n'a pas, au début du moins, que des inconvénients pour les Acadiens. En fait, ils vivent presque en eaux internationales. Les pêcheurs américains considèrent le golfe du Saint-Laurent comme une de leurs zones de pêche. Le traité de 1818, conclu entre l'Angleterre et les États-Unis, qui défend aux Américains de pêcher à moins de cinq kilomètres des côtes du golfe, n'a guère d'effet aux Îles. Les Madelinots leur permettent d'utiliser leurs graves pour sécher leurs prises, contre redevance. Les pêcheurs français reviennent au terme des guerres napoléoniennes ; d'autres, originaires des côtes du Nouveau-Brunswick et de la Nouvelle-Écosse, grossissent aussi le contingent des bateaux fréquentant les côtes de l'archipel, évalué à une centaine de voiliers en 1830. Chaque saison, un bon nombre de Madelinots trouvent de l'emploi à bord de ces navires.

La disparition du morse amène une réorientation complète de l'économie insulaire. La vente de la morue séchée, des peaux et de l'huile des loups marins représente désormais l'essentiel des revenus. Quelques produits accessoires s'ajoutent à la liste : huile de foie de morue, canneberges sauvages, plumes d'oiseaux marins, fourrures, celles des renards capturés aux Îles et les pelleteries troquées sur la côte du Labrador. Des marchands de Halifax extraient de petites quantités de gypse et d'ocre rouge. L'agriculture naissante et l'élevage permettent sans doute déjà une forme de troc avec les équipages étrangers. L'économie de l'archipel repose donc, dès les premières décennies du XIXe siècle, sur le commerce international.

Une vue de Havre-aux-Maisons par Thomas Pye, en 1866. Cette partie de l'archipel est déjà la plus peuplée en 1830.
(Archives nationales du Canada, *Scenery Districts of Gaspé*, 1866)

À la fin des années 1820, l'archipel compte déjà trois marchands résidants : Louis Bouffard, Joseph Cormier et Valentin
Fontana. Toutefois, des pêcheurs et marchands de l'extérieur
compétitionnent avec eux pour offrir à la population des hardes
de coton, la farine, la mélasse, le café, le thé, le tabac, le rhum,
les chaussures, le sel et les agrès de pêche. Les Acadiens des Îles
s'intègrent graduellement aux échanges légaux ou à la contrebande avec l'extérieur. Ils construisent des goélettes de 20 à 40
tonneaux, surtout avec le bois provenant des navires naufragés
que celui de l'archipel complète. La flotte madelinienne s'accroît régulièrement, d'une douzaine de voiliers en 1810, à 27 en
1830. Une dizaine d'entre eux mettent chaque année le cap sur
la côte nord-est du golfe pour chasser le phoque et pêcher la
morue.

La valeur croissante de la production des pêcheries de l'archipel, qui atteint 12 000 livres sterling en 1830, force les commerçants et armateurs du continent à inclure les Îles-de-la-
Madeleine dans leur circuit commercial. À la belle saison, une
douzaine de goélettes de Pictou, de Halifax ou de Québec fréquentent les Îles. Quelques familles anglophones des Maritimes
sont bientôt attirées par le potentiel de l'archipel. En 1831, on
recense 89 habitants non catholiques qui représentent 8 % de

Des pêcheurs et leurs barques dans le havre bien protégé de Havre-Aubert.
(Coll. Musée de la Mer)

la population insulaire. Cinq familles, dont les Dickson et les McLean, ont succédé à des pionniers acadiens sur l'île d'Entrée. Six autres, dont les Clarke, Goodwin et Rankin, occupent la Grosse Île. Les autres éléments anglophones sont installés sur l'île du Cap aux Meules.

En 1830, les habitants des Îles sont donc très majoritairement francophones et catholiques. Les 17 patronymes les plus communs, tous d'origine acadienne, rassemblent 80 % des familles. Les Boudreau, Cormier, Arseneau, Thériault, Vigneau et Lapierre sont les plus nombreux. Cette population perd peu à peu son caractère pionnier. Il y a presque autant de femmes que d'hommes, 580 des 1 057 résidants ont moins de 15 ans, et les deux tiers sont nés sur l'archipel. La moitié des habitants, soit 96 familles sur les 195 que comptent les Îles, vit autour de la partie sud de la lagune du Havre aux Maisons et du goulet qui la relie à la baie de Plaisance. L'île du Havre Aubert abrite 77 ménages dispersés au sud, du cap Gridley à l'anse à la Cabane. La vingtaine de familles restantes sont disséminées à L'Étang-du-Nord, à la Grosse Île et à l'île d'Entrée.

Aucun noyau villageois n'est encore visible et la dispersion est la règle même si l'habitat le plus ancien, voisin des anses naturelles, s'avère plus dense. Quelques-uns se sont installés un peu plus haut, à l'abri des buttes et à proximité des ruisseaux et des boisés. Les enfants en âge de se marier et de s'établir le font souvent à la périphérie du domaine familial, partageant avec leurs parents les mêmes ressources forestières et les mêmes pâturages. Les maisons, de modestes dimensions (six mètres sur dix selon l'ethnologue Anselme Chiasson), sont blanchies à la chaux, le pourtour des étroites fenêtres peintes à l'ocre rouge, et sont surmontées d'une cheminée d'argile. Avec la forte hausse des exportations de bois équarri vers la Grande-Bretagne depuis ses colonies d'Amérique du Nord, le nombre de navires naufragés aux Îles augmente, ce qui procure, à compter des années 1800, un apport régulier de bois d'œuvre pour la construction.

Les Îles ne bénéficient, en 1830, d'aucune forme d'encadrement civil. L'agent de Coffin, le propriétaire de l'archipel, et le collecteur des douanes, dénués de tout pouvoir coercitif, sont relégués au rôle d'observateur. Sur le plan religieux, par contre, les Madelinots acadiens ont pu profiter de l'attention de l'évêque de Québec, à la tête du seul diocèse catholique des colonies britanniques d'Amérique du Nord. Comme l'Église est encore en pleine débâcle, les ressources qu'elle peut consacrer au lointain archipel demeurent dérisoires. Le père Allain effectue de courtes missions estivales jusqu'à 1812, année de son décès à Québec. Après la visite aux Îles de Mgr Plessis, l'évêque de Québec, en 1811, sept prêtres canadiens vont se succéder comme missionnaires jusqu'à 1830. À cette date, l'archipel compte trois lieux de culte, avec de petites chapelles à Havre-Aubert, à Havre-aux-Maisons et près du petit poste de pêche de L'Étang-du-Nord, sur l'île du Cap aux Meules.

Quand le hareng vient frayer dans la baie de Plaisance, chaque printemps, les plages se couvrent d'un tapis, formé de milliards d'œufs, qui peut atteindre un mètre d'épaisseur. La récolte d'œufs de hareng de Sam Nadeau, en 1954, n'est plus qu'un pâle reflet de la manne annuelle du siècle précédent. (Office du film du Québec 2167-1954)

La correspondance des missionnaires affectés aux Îles indique qu'ils n'ont pas une forte emprise sur leurs paroissiens. Extérieurs à un milieu qu'ils connaissent mal et où ils séjournent à temps partiel pendant tout au plus deux ou trois ans, ils ont du mal à imposer le respect. L'exigence du repos dominical ne plaît guère les dimanches où le temps est favorable à la pêche, le rhum est disponible à bas prix, et les dîmes sont d'une perception difficile. Tous ces missionnaires demanderont un poste loin des Îles au terme de leur engagement. En fait, les premiers Madelinots, constamment en quête d'un territoire de liberté, voient sans doute toute forme d'encadrement religieux ou civil comme une indésirable entrave.

Une région d'élevage

Comme partout ailleurs dans les régions de colonisation récente, l'agriculture vivrière s'avère indispensable à l'occupation durable d'une importante population sédentaire. Or les Îles possèdent ces ressources nécessaires à l'établissement. Les sources d'eau potable sont dispersées sur tout l'archipel, les forêts, bien que pauvres en espèces et en arbres de bonne dimension, fournissent un volume suffisant de bois de construction, de chauffage et de clôture pour les besoins de centaines de familles, les sols peuvent supporter des cultures et de vastes prairies naturelles sont favorables à l'élevage. Le potentiel agricole de l'archipel prendra toutefois des décennies avant d'être reconnu. Les Acadiens errants depuis des générations semblent alors avoir perdu les qualités agricoles de leurs ancêtres de Grand Pré, car les premiers Madelinots qui décident de faire de l'agriculture leur occupation principale sont des immigrants d'origine écossaise ou irlandaise installés sur l'île d'Entrée.

Entre 1830 et 1875, les francophones, même s'ils se considèrent pêcheurs avant tout, découvrent les avantages de l'autosuffisance alimentaire. Ils ne se contentent plus de faire paître quelques moutons, ils cultivent de plus en plus le sol. Quelque 200 charrues sont en usage lors du recensement agraire de 1871, qui reconnaît l'archipel comme le meilleur terroir du district de Gaspé. À cette date, les Madelinots ont découvert le principal avantage des Îles : les nombreux pâturages naturels qui permettent de faire paître 10 000 têtes de bétail et de récolter des milliers de tonnes de foin pour hiverner les bêtes qui ne sont pas sacrifiées à l'automne.

En 1871, la famille madelinienne garde une vingtaine d'animaux domestiques : chevaux, vaches et autres bovins, porcs et moutons. Comme on peut le constater à la lecture du tableau 2.1, les anglophones, qui représentent moins de 10 % des exploitants, sont nombreux dans le groupe des principaux éleveurs. Plusieurs possèdent sans doute déjà une clientèle saisonnière régulière parmi les équipages des pêcheurs étrangers qui ceinturent l'archipel. Les plus gros éleveurs acadiens sont des entrepreneurs de pêche qui peuvent ainsi combler en partie les besoins alimentaires de leurs employés. C'est toutefois sur les routes de l'archipel que l'observateur étranger peut le mieux constater le succès de l'élevage aux Îles. À la fin des années 1850, des chemins carrossables traversent les trois îles principales au milieu des champs et des pâturages. Le recenseur dénombre en 1871,

Le temps des foins chez Henry Patton, à La Vernière, en 1908. (Coll. Musée de la Mer)

pour les 526 maisons habitées, un total de 750 chevaux de tout
âge, autant de charrettes et 600 « voitures d'été ».

TABLEAU 2.1

Les principaux éleveurs madeliniens en 1871

Nom		Chevaux	Bovins	Moutons	Cochons	Cheptel total	Kilos de beurre
William Dingwell	Î.B.	1	55	115	11	182	454
Nancy Dikson	Î.E.	20	47	25	5	97	1 134
Louis Boudreau	E.N.	4	13	64	8	89	136
Frédérick Arseneau	H.M.	3	17	60	7	87	-
Simon Renaud	H.A.	6	25	40	12	83	91
Damien Deveau	H.A.	6	28	30	10	74	136
Charles Bourgeois	E.N	3	18	40	12	73	23
Paul Chenelle	G.Î.	3	15	40	14	72	181
Bruno Terriau	H.M.	4	11	50	6	71	45
Thomas Cullum	Î.E	6	27	32	5	70	680
Benjamin Boudreau	H.A.	5	23	30	7	65	82
Armand Bourgeois	H.A.	5	21	30	8	64	91
Harvey Clark	G.Î.	5	12	42	4	63	227
Louis Lafrance	E.N.	2	9	40	7	58	45
Antoine Chevrier	H.A.	2	20	25	10	57	68
Antoine Giffard	H.A.	7	16	25	8	56	82
Robert Keaton	G.Î	4	6	43	2	55	181
Honoré Renaud	H.A.	4	13	30	6	53	36
Hévé Vigneau	H.A.	3	17	25	7	52	45
William Dickson	Î.E.	-	19	30	3	52	272
Prosper Fougère	E.N.	3	6	40	3	52	23
Théodore Renaud	H.A.	3	14	25	7	49	68
Eugène Vigneau	H.A.	5	17	20	7	49	41
Frédérick Gaudet	H.A.	3	10	30	5	48	45
Henry Clark	G.Î.	5	13	30	-	48	91
Firmin Hébert	H.A.	4	15	20	8	47	45
Joseph Vigneau	H.A.	4	15	20	8	47	45
James Dickson	Î.E.	4	23	14	6	47	91
Damase Arseneau	H.M.	2	10	30	4	46	18
William Clark	G.Î.	1	7	35	2	45	91
Jean Chiasson	H.A.	4	15	20	6	45	45

Note : Î.B. = île Brion ; Î.E. = île d'Entrée ; E.N. = L'Étang-du-Nord ; H.M. = Havre aux Maisons ; H.A. = Havre Aubert ; G.Î. = Grosse Île.
Source : Listes nominatives du recensement de 1871.

FIGURE 2.1
Le nombre de moutons, par secteur, 1871-1941

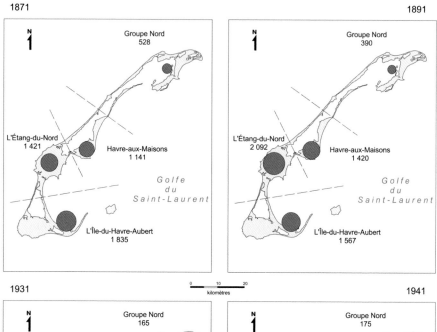

1871

1891

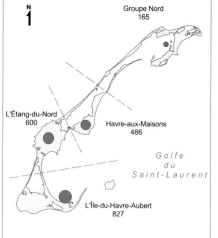

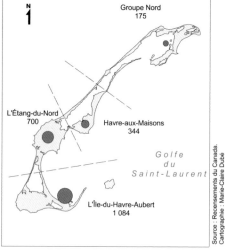

1931

1941

Source : Recensements du Canada.
Cartographie : Marie-Claire Dubé

Cet âge d'or de l'élevage coïncide aussi avec ces années au cours desquelles les familles peuvent se procurer l'essentiel de leurs besoins à peu de frais. L'abondante récolte de pommes de terre et de navets, quelque 600 kilos par Madelinot, fournit l'accompagnement quotidien aux poissons et mollusques, aux viandes et aux œufs. La forêt peut encore donner une vingtaine de cordes de bois de chauffage par maison, chaque famille tisse en moyenne 15 mètres carrés de drap de laine pour fabriquer tous les types de vêtements. Cette description suggère que le niveau de développement de l'agriculture de subsistance aux Îles est alors supérieur à celui de plusieurs régions de colonisation récente du Canada central et des Maritimes.

Le peuplement se renforce, 1830-1875

À partir des années 1820, le caractère de l'établissement se transforme à mesure que les terrains à proximité des havres naturels se raréfient et que l'accès aux ressources du sol et de la forêt prend de l'importance aux yeux des jeunes familles. Comme les deux plus grandes îles, celles du Havre Aubert et du Cap aux Meules, jouissent de l'essentiel du patrimoine agricole et forestier de l'archipel, ce sont elles qui vont accueillir la majeure partie des nouveaux établissements. Deux secteurs sont particulièrement favorables à l'installation des nouveaux ménages. Il y a d'abord la frange sud de l'île méridionale où une étroite lisière fertile forme un plateau en pente entre la montagne et la mer. Sur l'île du Cap aux Meules, une bande encore plus large de sol arable s'étire depuis le cap aux Meules jusqu'au hameau de L'Étang-du-Nord. En 1875, les deux îles principales abritent les deux tiers des Madelinots.

Depuis les années 1820, toutes les îles qui disposent d'un minimum de terre arable et de pâturage, de bois de chauffage et d'eau potable sont habitées, à l'exception de celle de la Pointe aux Loups (carte 3.1). Du recensement de 1831 à celui de 1871, la population de l'archipel passe de 1 057 à 3 172 habitants. Cette multiplication par trois du nombre de Madelinots, bien que supérieure à celle du terroir seigneurial de la vallée du Saint-Laurent, demeure loin du taux de croissance des régions de colonisation du Québec à la même époque. C'est la décennie de 1850 qui s'avère largement responsable de ce manque de dynamisme relatif à cause, surtout, d'un bilan migratoire négatif et d'une crise de mortalité infantile sévère.

L'augmentation du nombre de Madelinots vient, pour l'essentiel, des excédents naturels engendrés par les 195 familles déjà installées en 1830. La fin des années 1840 semble constituer un point tournant dans l'histoire du peuplement des Îles. Avant le milieu du siècle, ceux qui viennent s'installer maintiennent positif le bilan migratoire ; par la suite, ce bilan sera négatif jusqu'à nos jours. Il existe toutefois un important mouvement migratoire vers l'archipel, même après 1850. Deux arrivants sur trois choisissent l'île du Cap aux Meules. Là, le tiers des chefs de famille déclarent être nés en Nouvelle-Écosse et sur l'île du Prince-Édouard lors du recensement de 1871.

CARTE 2.1
La distribution de la population en 1861

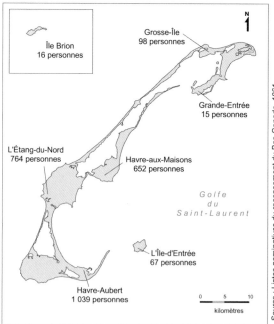

L'exemple de la famille Leblanc, originaire de la région de Chéticamp, sur l'île du Cap-Breton, illustre bien le phénomène : absente des Îles en 1831, elle compte 28 familles en 1871. La réduction de l'immigration des Acadiens des Maritimes après 1845 est en partie compensée par l'arrivée des anglophones qui renforcent leur présence jusqu'aux années 1880. Ils viennent surtout des Maritimes et de Terre-Neuve ; très peu sont venus directement d'Europe. Comme leurs voisins acadiens, la majorité sont nés sur l'archipel. En 1871, 167 Madelinots se déclarent d'origine anglaise, 82 irlandaise et 74 écossaise. La plupart, pêcheurs et éleveurs, s'installent en périphérie, à la Grosse Île et à Old Harry, sur les îles Brion et d'Entrée. Les commerçants et les navigateurs préfèrent, par contre, cohabiter avec leurs clients francophones des trois îles principales.

Même si de nombreux observateurs nous ont laissé des témoignages de l'état général de bonne santé des Madelinots de l'époque, l'archipel n'échappe pas à la triste réalité de la forte mortalité infantile commune à tout l'est du Canada jusqu'aux années 1920. Toutefois, la crise de mortalité infantile qui frappe les Îles à l'automne et à l'hiver 1859-1860 est exceptionnelle. Du 26 septembre 1859 au 28 février 1860, les registres des sépultures des paroisses de Havre-Aubert et de Havre-aux-Maisons comptent 73 enfants de moins de 10 ans. Les 58 enfants de moins de 5 ans décédés représentent de 15 à 20 % de tous les petits Madelinots catholiques de cet âge. Comme ces décès surviennent en froide saison, il faut sans doute les attribuer à l'une des maladies contagieuses qui touchent surtout les enfants : rougeole, variole, scarlatine, coqueluche ou diphtérie.

En 1875, quelque 540 familles, à 90 % francophones, habitent les Îles. Les emplacements près des havres naturels et les prairies favorables à l'élevage sont alors occupés. Déjà quelque 130 à 140 familles sont parties depuis la fin des années 1840 vers la côte ouest de Terre-Neuve et, surtout, la rive nord du golfe du Saint-laurent. Ce mouvement d'exode, d'une intensité variable d'une décennie à l'autre, tient moins à l'épuisement des ressources de l'archipel qu'à la volonté de plusieurs de se rapprocher de la route de migration des loups marins et des riches fonds de morue de la Minganie. L'arrivée de l'industrie du homard aux Îles va bientôt interrompre cette émigration des Madelinots vers le nord.

Une économie tributaire de la pêche

Pendant tout le XIXe siècle, la pêche demeure l'activité principale et le gagne-pain de presque tous les Madelinots. L'apport des cultures et de l'élevage est certes précieux, mais l'essentiel des revenus provient des salaires gagnés sur les goélettes étrangères et celles qui sont affrétées par les marchands locaux, ainsi que de la pêche côtière. En 1871, le recenseur compte 75 marins-pêcheurs sur 11 goélettes, 520 pêcheurs côtiers et 237 graviers, nom donné à ceux qui apprêtent le poisson sur les graves (les plages). Cette main-d'œuvre engagée dans l'effort de pêche

Préparation et mise en baril du poisson sur la plage de l'Étang-du-Nord, vers 1930.
(Coll. Musée de la Mer)

totalise 832 hommes, un chiffre imposant si on le compare à la population masculine de 16 ans et plus de l'archipel à la même date, soit 870 individus.

Tout au long de ces années, deux types de pêche coexistent aux Îles : la pêche côtière menée depuis les plages par les résidants et la pêche hauturière sur les goélettes. Cette dernière demeure très importante jusqu'aux années 1870, avec un sommet dans les décennies 1850 et 1860. Dès la fonte des glaces, à la fin d'avril ou au début de mai, de 30 à 35 goélettes, dotées d'un équipage d'une dizaine d'hommes, quittent le Havre aux Maisons et le Havre Aubert pour chasser le loup marin. Revenues avec leur cargaison de peaux de phoque et de barils d'huile, ces goélettes repartent pour la côte du Labrador. Les équipages y pêchent surtout la morue qu'ils salent et sèchent sur place. Quelques navires pêchent plus près de l'archipel. La morue, éviscérée, est d'abord salée et mise en baril, puis séchée sur les graves lors des fréquents retours.

La pêche côtière demeure cependant la préoccupation de presque tous les membres de la famille madelinienne. L'unité de base est constituée par deux pêcheurs sur une barge. Ils sont assistés d'un gravier qui traite les prises à terre avec l'aide des femmes et des enfants. Pêcheurs et graviers sont apparentés. Cette forme de coopération familiale semble tellement généralisée au XIXᵉ siècle que l'on compte une barge pour deux familles, et que le nombre de graviers correspond à celui des bateaux de pêche. Étant donné sa valeur marchande, la morue conditionne donc l'organisation de la pêche, mais elle n'en a pas le monopole. D'autres espèces prennent de l'importance au fil des ans. C'est cette diversité qui établit la réputation des fonds voisins de l'archipel auprès de tous les pêcheurs de la côte atlantique.

Dès la fonte des glaces, les pêcheurs américains, français et néo-écossais viennent chercher le hareng qui s'engage en masse dans la baie de Plaisance. Ils vont s'en servir pour appâter la morue dans les semaines à venir. Le hareng constitue un précieux article d'échange avec les pêcheurs étrangers dont l'importance croît lorsque l'aléatoire chasse printanière au loup marin a peu donné. Une autre espèce prend de l'importance au cours du siècle, le maquereau, qui revient à l'automne, comme le hareng, et permet parfois de sauver une médiocre saison de pêche. D'ailleurs, la valeur des prises de maquereau surpasse parfois celle de la morue. Pendant tout l'été, c'est ce poisson qui attire tout près des Îles les goélettes américaines.

Les Madelinots dépendent plus des ressources de la mer que la plupart des sociétés de pêcheurs disséminées le long de la côte atlantique qui peuvent compléter leurs revenus dans le transport et la construction navale, le travail en forêt ou à la scierie. Aux Îles, la pêche complète l'apport alimentaire des petites fermes de subsistance, fournit l'engrais pour la culture de

Une goélette amarrée au quai de Havre-aux-Maisons dans les années 1930. (Coll. Musée de la Mer)

la pomme de terre et permet de rembourser le marchand qui avance le matériel nécessaire à la capture et à la préparation des prises. Cette dépendance presque totale à la mer pourvoyeuse compromet souvent les revenus familiaux annuels, quand les mouvées de loups marins passent loin des côtes, quand les havres sont pris par les glaces jusqu'à la mi-mai, quand les tempêtes qui se succèdent empêchent les sorties en mer. Et, toujours, le marchand réclame son dû.

La préparation du maquereau avant le salage et la mise en baril sur la grave de Havre-Aubert, vers 1910.
(Coll. Musée de la Mer)

Les marchands et les relations commerciales

L'essentiel de la vie économique de l'archipel est contrôlé par quelques marchands. La volonté des familles de produire une bonne part de ce qu'elles consomment atteint rapidement ses limites. C'est au magasin général qu'il faut se procurer tout le reste : cordes de chanvre et fils de coton, toiles cirées, clous, crochets et autres objets de fonte ou de fer blanc, produits exotiques, comme le thé, le café, la mélasse et le sucre, mais aussi le rhum et le tabac et, surtout, l'indispensable baril de farine de blé dont le prix sert d'étalon à tous les échanges. C'est encore le marchand qui fournit les agrès de pêche, le sel et les barils vides. Grâce au crédit qu'il possède lui-même auprès des grossistes du Québec et des Maritimes, le marchand peut « avancer » à ses clients-pêcheurs les produits qu'ils devront rembourser à la belle saison en peaux et huile de loup marin, en poisson séché ou salé et, très souvent, en journées de travail.

En fait, le commerce de détail n'occupe que la portion congrue de l'activité des plus gros marchands. Ils sont avant tout des entrepreneurs qui organisent les saisons de chasse et de pêche. Cette fonction les force à jouer plusieurs rôles : constructeurs de navires, armateurs ou affréteurs. La navigation à voile sur une mer souvent en partie couverte de glaces comporte bien des risques, et la perte d'une goélette écrasée par la banquise peut les acculer à la faillite. Ils occupent le centre d'une longue chaîne de crédit qui va d'une banque londonienne à un courtier de la Nouvelle-Écosse, puis jusqu'au plus humble pêcheur, une chaîne que peuvent rompre une crise bancaire internationale ou de mauvaises pêches locales.

Le nombre de marchands résidants s'accroît durant tout le XIXe siècle avec la multiplication des échanges avec l'extérieur et avec l'augmentation et la dispersion des Madelinots tout le long de l'archipel. Au début des années 1870, les Îles comptent 11 marchands : Damien Deveau, J.-B. Félix Painchaud, John Savage, Henry Shea sur l'île du Havre Aubert ; Nectaire Arseneau, Nelson Arseneau, William Leslie sur celle du Cap aux Meules ; Frédérick Arseneau, Richard Delaney et William

Johnson au Havre aux Maisons. Au nord, le pêcheur Neil McPhail entrepose des provisions pour le compte de William Leslie et commerce avec les familles anglophones du secteur. Autant les marchands francophones qu'anglophones effectuent la majeure partie des échanges avec des grossistes de la Nouvelle-Écosse et de l'Île-du-Prince-Édouard, et c'est Halifax qui constitue la principale destination commerciale des Madelinots.

Depuis les années 1820, les marchands qui font affaires aux Îles réclament la protection de la justice au Parlement de Québec, car l'administration de la justice relève du gouvernement du Bas-Canada. Les marchands se plaignent surtout de la concurrence déloyale que leur livrent les équipages étrangers qui achètent aux Madelinots les produits de la chasse, de la pêche et de l'élevage. Or ces denrées, les marchands des îles estiment qu'elles leur sont dues en paiement des avances consenties à leurs clients-pêcheurs. À compter de 1845, Havre-Aubert reçoit la visite d'un juge itinérant. Mais c'est la loi de 1857, qui partage le Bas-Canada en 19 districts judiciaires dotés d'un palais de justice et d'une prison, qui permet de doter la Cour de circuit

Le palais de justice de Havre-Aubert, construit en 1862, subit une cure de jouvence en 1940.
(Coll. Musée de la Mer)

des Îles-de-la-Madeleine d'un édifice à cette fin. Même si l'archipel fait partie du district judiciaire de Gaspé, la plupart des causes civiles et criminelles sont jugées à Havre-Aubert. L'analyse des causes conservées au greffe du palais de justice de Havre-Aubert montre que ce sont les marchands qui utilisent le plus l'appareil judiciaire. De fait, les poursuites pour dettes représentent 85 % des inscriptions. Une forte proportion des poursuites engagées par l'agent des Coffin et par les marchands se règle avant la tenue du procès. Les pêcheurs ou fermiers, en majorité analphabètes, contestent rarement la tenue des livres de leur créancier qui, lui, demeure accommodant. En général, une fois que le débiteur a reconnu l'existence de la dette, ni le marchand ni l'agent des Coffin ne tentent d'acculer le défendant à la faillite.

La mise en place des structures d'encadrement

Des années 1840 à 1867, le gouvernement du Canada-Uni, qui contrôle le Québec et l'Ontario, entreprend de régionaliser ses services en créant des districts scolaires, judiciaires et d'enregistrement. Cette décentralisation est renforcée par la mise sur pied de conseils d'élus, à la commission scolaire et à la municipalité. Au Québec, ces réformes coïncident avec la renaissance de l'Église catholique qui peut, grâce à ses effectifs en forte croissance, occuper une large place dans le système d'éducation, un rôle qui va encore s'accroître après la Confédération de 1867, l'instruction publique étant de responsabilité provinciale. Les Acadiens des Îles-de-la-Madeleine vont enfin pouvoir profiter de l'appartenance de leur archipel au Québec, à l'inverse des Acadiens des Maritimes qui devront lutter pendant un siècle pour faire reconnaître certains droits linguistiques à l'école.

Le rattachement de l'archipel au nouveau diocèse de Charlottetown, en 1829, ne coupe pas les liens des insulaires avec le diocèse de Québec, dont l'évêque continue à envoyer des missionnaires. Ceux-ci, comme leurs confrères dans les années 1820, ne demandent pas la prolongation de leur mandat de trois ans.

Avec l'arrivée, en 1839, de l'abbé Alexis Bélanger, l'archipel accueille son premier véritable curé. En 1846, il obtient de son évêque la création d'une deuxième paroisse aux Îles, celle de Sainte-Madeleine-de-Havre-aux-Maisons, confiée à l'abbé Cajetan Miville-Deschênes. Avec deux prêtres pour environ 1 600 fidèles, les Îles bénéficient alors d'un encadrement supérieur à celui des autres catholiques acadiens ou québécois.

Dans les décennies qui vont suivre, les évêques de Charlottetown n'ont, semble-t-il, ni le moyen ni la volonté d'envoyer de nouveaux prêtres aux Îles. En 1874, l'abbé Charles-Nazaire Boudreau, arrivé en 1849 pour remplacer l'abbé Bélanger, se retrouve seul pour desservir les 3 000 catholiques de l'archipel. Avec le temps, un autre problème s'est fait jour : les deux seuls lieux de culte, les églises de Havre-Aubert et de Havre-aux-Maisons, sont décentrés par rapport aux populations de fidèles en forte croissance dans les meilleurs terroirs, au centre et à l'ouest des îles du Havre Aubert et du Cap aux Meules. Ce manque chronique de prêtres desservants n'empêche toutefois pas la construction de nouveaux temples au milieu des années 1870, dans les anciennes paroisses de Havre-Aubert et de Havre-aux-Maisons, ainsi que dans les nouvelles de Bassin et de L'Étang-du-Nord.

Le magasin de Nelson Arseneault à Havre-aux-Maisons, vers 1895.
(Coll. Musée de la Mer)

Le peu d'empressement manifesté par les évêques d'origine irlandaise de Charlottetown à envoyer leurs précieux effectifs cléricaux aux Îles tient au fait que les protestants y sont très minoritaires. Comme le constate le révérend George J. Mountain, l'évêque anglican de Québec, lors de son premier voyage, en 1850, ce sont plutôt ses propres ouailles qui sont en danger d'être converties au catholicisme. De nombreux parents ont déjà fait baptiser leurs enfants par des prêtres catholiques de Havre-Aubert et de Havre-aux-Maisons. La première tâche que se donne le premier pasteur anglican, Félix Boyle, en 1852, sera celle de baptiser ses fidèles. Un premier temple est inauguré à Grosse-Île, en 1853, deux autres à Cap-aux-Meules et à Havre-Aubert, en 1869. Pendant tout le XIXe siècle, le service pastoral aux fidèles protestants disséminés d'un bout à l'autre de l'archipel demeure un exercice pénible et dangereux.

Les Églises catholique et anglicane sont, par l'entremise de leur clergé et de leurs communautés religieuses, au cœur du processus d'alphabétisation des populations au XIXe siècle. Toutefois, la mise sur pied d'un système d'enseignement public au Bas-Canada vient de l'initiative du gouvernement colonial. Les lois scolaires de 1801 et 1824 ne sont cependant pas appréciées par le clergé catholique. La loi des écoles de syndics reçoit l'appui des autorités religieuses, et à compter de 1829 un nombre croissant de petits catholiques fréquentent ces écoles largement subventionnées. La crise politique des années 1830 interrompt l'aide de l'État. Quand le curé Bélanger fonde avec sa belle-sœur, en 1840, une première école à Havre-Aubert, il doit le faire avec ses propres moyens.

En 1846, le gouvernement du Canada-Uni s'implique dans l'éducation primaire et le curé Alexis Bélanger s'empresse de former une commission scolaire avec l'aide de quelques notables. Leurs espoirs seront vite déçus. La loi accorde une subvention pour le fonctionnement des écoles, mais elle impose aussi une taxe basée sur l'évaluation foncière qui provoque des résistances partout au Québec, un épisode connu sous l'appellation de « guerre des éteignoirs ». Les Madelinots ne se reconnaissent pas plus comme des contribuables que les autres Québécois, et les écoles des Îles ne fonctionnent que grâce au maigre octroi gouvernemental. Il semble que deux ou trois écoles aient été en activité de 1846 à 1851, aucune durant l'année scolaire 1851-1852. La modeste subvention ne permet pas de trouver des maîtres compétents, certains sont carrément analphabètes.

La réforme de 1852 crée 23 districts scolaires à la charge d'autant d'inspecteurs. Même si les Îles sont incluses dans le district de Gaspé, l'interruption des communications hivernales contraint le gouvernement à nommer un inspecteur local, le notaire Jean-Baptiste Félix Painchaud. Il devra aussi veiller au bon fonctionnement des écoles protestantes en collaboration avec le ministre anglican, Félix Boyle. À l'automne 1854, Painchaud a trouvé trois maîtres compétents : Théodore Cormier à Havre-Aubert, Louis Bouffard à L'Étang-du-Nord et Paul Duclos à Havre-aux-Maisons. Au cours des années 1850 et 1860, jamais les écoles de l'archipel pourront-elles toutes fonctionner simultanément. La fréquentation scolaire demeure très faible, entre 10 et 30 % des jeunes Madelinots catholiques âgés de 5 à 16 ans.

Le recensement fédéral de 1871 atteste qu'un système d'enseignement primaire est désormais bien en place sur l'archipel. Les listes du recenseur comptent 8 instituteurs, 250 garçons et 206 filles à l'école. Les Madelinots adultes ne pourront jamais cependant rattraper les années perdues : près des deux tiers sont analphabètes. En fait, tout concourt à raccourcir l'année scolaire et à restreindre la fréquentation. Les élèves, presque tous âgés de moins de 10 ans, doivent souvent parcourir de longues distances pour atteindre l'école, les maladies infantiles contagieuses sont nombreuses et les épidémies fréquentes, et, surtout, beaucoup de parents doutent de l'utilité de la lecture et de l'écriture. De plus, l'imposition des taxes scolaires rend, pour plusieurs, tout le système des commissions scolaires inacceptable.

C'est aussi la crainte de l'imposition d'une taxe locale qui retarde la mise en place des conseils municipaux sur l'archipel.

Au Québec, c'est l'année 1855 qui marque le début de la vie démocratique locale avec l'élection d'une administration dans la plupart des municipalités. En 1861, un premier conseil d'élus est mis sur pied à Havre-Aubert, un autre le sera bientôt à Havre-aux-Maisons. Le pacte confédératif de 1867 abandonne aux gouvernements provinciaux la responsabilité des municipalités, et le gouvernement du Québec ne peut, avec ses maigres budgets, soutenir les administrations locales. Celles-ci vont longtemps vivoter et, en l'absence de ressources financières, doivent se contenter d'exercer leur pouvoir de réglementation, comme les mesures à prendre en cas d'épidémie.

Avant la première élection dans le nouveau comté provincial des Îles-de-la-Madeleine, en 1897, les Madelinots ne participent guère à la vie politique nationale. L'archipel demeure rattaché au comté de Gaspé avant et après la Confédération et la tenue d'une élection aux Îles est bien difficile hors de la saison de navigation. Ainsi, le résultat du scrutin de janvier 1852 ne parvient à Québec que le 17 mai. En fait, les Madelinots ne reçoivent guère d'échos des bouleversements qui surviennent dans la vie politique du continent, comme lors des Rébellions de 1837 et 1838, la formation du Canada-Uni, puis celle du Canada, en 1867. À cette date toutefois, l'élection du docteur Pierre Fortin comme député de Gaspé aux deux législatures de Québec et d'Ottawa y donne une voix aux Madelinots. En effet, le député Fortin connaît bien les Îles pour y être allé chaque année depuis 1852, à titre de commandant du navire de surveillance des pêcheries du golfe du Saint-Laurent.

Avant 1867, ce contrôle de la pêche et des activités commerciales dans le golfe par le gouvernement du Canada-Uni n'est guère efficace, et les flottes étrangères agissent comme si elles étaient en eaux internationales. Avec l'inclusion du Nouveau-Brunswick, de la Nouvelle-Écosse et, bientôt, de l'Île-du-Prince-Édouard dans la Confédération canadienne, le gouvernement fédéral renforce sa présence dans le golfe. Il veut en priorité améliorer la sécurité de la voie maritime vers l'Europe. Pour Ottawa, les Îles sont plus un obstacle qu'un refuge, car si

elles peuvent abriter les goélettes en cas de mauvais temps, elles ne disposent pas de havre de refuge pour les grands vapeurs modernes. La stratégie du ministère de la Marine consistera à mieux signaler les Îles pour mieux les éviter.

Une fois la décision prise de baliser l'archipel, le travail est rondement mené. De 1870 à 1874, le gouvernement construit quatre phares, au rocher aux Oiseaux, à Bassin, à L'Étang-du-Nord et à l'île d'Entrée. Au rocher aux Oiseaux, où tous les approvisionnements doivent être hissés au sommet d'une falaise abrupte, les coûts de construction et d'entretien sont faramineux. Les gardiens et leurs assistants demeurent des mois à la merci des éléments, et l'opération du signal de brume, qui nécessite l'utilisation de poudre à canon, provoque des accidents mortels. Si ce phare prouve rapidement son utilité, il n'en va pas de même pour les autres structures, dont la localisation avait été mal planifiée, selon l'évaluation même du ministère de la Marine.

Le rocher aux Oiseaux surmonté de son phare. Tous les approvisionnements doivent être hissés au sommet par une rampe étroite accrochée à la falaise.
(Coll. Musée de la Mer, Office provincial de publicité, 85583)

Une société plus complexe

Depuis les années 1840, une société organisée et de plus en plus complexe s'est donc constituée aux Îles-de-la-Madeleine. Une première diversification de l'économie, la mise en place des structures d'encadrement et de contrôle de l'État ont provoqué cette transformation majeure. Toutefois, la naissance d'un pouvoir local, même s'il permet l'apprentissage de la vie démocratique, ne contribue guère à effacer les inégalités sociales. Le pouvoir reste l'affaire de quelques notables, ceux qui savent lire et écrire et possèdent des biens. Ils sont marchands, propriétaires de goélettes, gros éleveurs, membres du culte et fonctionnaires. Certains cumulent plusieurs fonctions, comme le notaire et marchand Jean-Baptiste Félix Painchaud, inspecteur d'écoles, juge de paix, contracteur des postes et maire de la municipalité de Havre-Aubert.

L'anse Leslie depuis le cap aux Meules en 1947. William Leslie est déjà établi à cet endroit en 1870.
(Coll. Musée de la Mer, Office de publicité du Québec 36 602 – 1947)

La diversité des occupations rapportée par le recenseur en 1871 rend compte de la multiplication des échanges économiques et sociaux entre les familles insulaires. Si la plupart des Madelinots se déclarent pêcheurs, graviers, fermiers, agriculteurs ou cultivateurs, quelque 130 se réclament d'un métier autre, dans la fabrication et la construction, la navigation et le commerce, dans les services publics et privés. L'État assure déjà, du moins en partie, le salaire de 16 personnes, dans l'enseignement, la justice et la navigation. La recension des professions exclut totalement la partie féminine de la main-d'œuvre et néglige donc tout le travail accompli par les femmes et les filles à la maison, à l'étable et dans les champs, les potagers, ou sur les graves. C'est peut-être cette absence de métiers féminins qui différencie le plus la société des Îles de celle de la vallée du Saint-Laurent.

La croissance du nombre d'hommes de métier montre que la période où les familles vivaient en autarcie presque complète est largement révolue. Une trentaine de Madelinots se déclarent charpentiers, forgerons, cordonniers et tonneliers. Un meunier opère le moulin à farine de Bassin et un artisan de Grosse-Île construit des bateaux à voile. Comme les Madelinots se sont déjà découvert une passion pour les chevaux, les cinq forgerons travaillent sans doute aussi comme charron, voiturier et maréchal-ferrant. La confection et la réparation des attelages doivent aussi occuper une bonne partie du temps des cinq cordonniers. Comme les Îles abritent une forte activité commerciale avec l'extérieur, les 40 capitaines et marins naviguent pour le compte de 25 marchands, commis et agents. L'éventail des professions déclarées révèle que Havre-Aubert constitue encore le cœur commercial et institutionnel de l'archipel.

C'est aussi là que réside l'agent des Coffin. Au décès de l'amiral Isaac Coffin, en 1839, c'est son neveu John Townsend Coffin qui hérite de la propriété de l'archipel, et le même agent, John Fontana, continue à collecter des rentes en son nom. Même si le niveau de ces droits demeure très faible comparativement à celui des rentes seigneuriales exigées dans le terroir de la vallée du Saint-Laurent à la même époque, la résistance à ce résidu de féodalisme semble plus forte aux Îles que sur le continent. Dans les années 1870, la rente annuelle exigée pour sept lots sur dix est égale ou inférieure à trois dollars. Quoique la somme soit modeste, les Madelinots ont l'impression d'être traités injustement. Ailleurs au Québec, le régime seigneurial a été aboli en 1854 et les lois qui régissent la propriété foncière dépendent du gouvernement du Québec.

Pour les héritiers Coffin, la propriété des Îles-de-la-Madeleine va toujours rester une mauvaise affaire. Il s'avère bien difficile d'appliquer un système de rente basé sur la valeur du sol quand la vraie richesse est sous l'eau. De plus, les compagnies américaines et néo-écossaises qui viendront bientôt exploiter les exceptionnels fonds de homard de l'archipel vont surtout d'abord s'installer sur l'île de la Grande Entrée, cédée par l'amiral Coffin au clergé anglican. Avec le temps, le niveau des rentes représente une fraction décroissante du produit de l'agriculture et des pêches de l'archipel, moins de 0,5 % avant la fin du siècle, un maigre revenu qui suffit à peine à payer l'agent et les démarches légales nécessaires à sa perception. Ce sont les marchands néo-écossais et les industriels de la pêche qui vont profiter des richesses des Îles, non pas les héritiers Coffin.

3

Le homard des Îles, 1875-1930

Hors de la vallée du Saint-Laurent, toutes les régions du Québec ont connu une période de forte croissance économique basée sur l'exploitation de leurs ressources naturelles : le pin blanc en Outaouais, le bois de pâte et l'hydroélectricité en Mauricie et au Saguenay, la morue en Gaspésie, les mines en Abitibi et sur la Côte-Nord. Aux Îles, cette période charnière du développement repose sur la capture et la mise en conserve d'un crustacé présent en abondance dans les lagunes et les fonds côtiers, le homard. Cette réorientation de l'économie insulaire transforme le monde du travail et les zones de peuplement, rend plus fréquentes les relations entre les individus d'origine et de langue différentes, et donne naissance à une petite bourgeoisie locale. Mais la pression sur cet environnement fragile devient insupportable et un nombre croissant d'insulaires doit se résoudre à l'exil.

Le trésor des lagunes

L'ouverture en 1875 d'une première conserverie de homard constitue un point tournant dans l'histoire des Îles-de-la-Madeleine. Le cœur de l'activité économique se déplace vers le nord-est, attirant la main-d'œuvre des deux sexes depuis les îles principales vers les conserveries et leur unique produit, la boîte d'une livre (454 grammes) de chair de homard. Des années 1880

Tout comme avant 1900, Grande-Entrée demeure le principal port de pêche au homard de l'archipel au XXᵉ siècle. Les caisses empilés sur le quai attendent l'ouverture officielle de la saison.
(Coll. Musée de la Mer, Office du film du Québec, 2153-1954)

jusqu'à nos jours, le précieux crustacé constitue la première ressource naturelle des insulaires. Il n'est guère d'autre exemple au Québec d'une région qui aura conservé l'exploitation d'une même production principale depuis 120 ans, comme moteur de son activité économique. Seul le tourisme, en forte croissance au cours des dernières années, semble capable de détrôner le homard et de mettre un terme à son règne séculaire.

À compter des années 1870, l'économie canadienne des pêches est en pleine transformation. Même si les produits traditionnels comme la morue séchée et salée, la morue, le hareng et le maquereau mariné en baril trouvent encore leur place sur le marché international, d'autres produits « modernes » viennent s'ajouter. À la fin du siècle, les boîtes de conserve de saumon du Pacifique et de homard de l'Atlantique se hissent au sommet des expéditions canadiennes des pêches. Contrairement aux exportations traditionnelles, surtout destinées à des clientèles pauvres du sud de l'Europe et de l'Amérique latine, la boîte de homard vise des consommateurs à l'aise d'Europe et d'Amérique du Nord. Elle requiert toutefois d'importants capitaux que les marchands locaux, habitués à ne fournir que du sel, des barils et des agrès de pêche à leurs clients, ne peuvent rassembler.

La présence de fortes concentrations de homard de l'Atlantique sur les fonds rocheux à proximité immédiate de l'archipel et dans les lagunes du Havre aux Maisons et de la Grande Entrée était connue avant 1875, mais leurs éventuels exploitants faisaient face à de nombreuses contraintes. D'abord, la question de la propriété de l'archipel était encore en suspens. La rareté du bois de construction et de chauffage, nécessaire à la construction des conserveries et des cages et aux opérations quotidiennes, constituait un autre écueil. Enfin, la zone la plus intéressante, celle du pourtour de la lagune de la Grande Entrée, était habitée par à peine 25 familles, ce qui obligerait les entrepreneurs à attirer et à loger une main-d'œuvre saisonnière. Confrontés au rapide déclin des fonds de pêche en Nouvelle-Angleterre, dans les Maritimes et dans la baie des Chaleurs, des industriels américains et néo-écossais décident toutefois de tenter l'aventure des Îles.

Une première conserverie est mise en opération à Havre-aux-Maisons en 1875, deux autres à L'Étang-du-Nord et à Grande-Entrée en 1876. Les rendements élevés et la sécurité offerte par les lagunes, où les cages sont à l'abri des désastreuses tempêtes printanières, attirent comme un aimant les industriels du homard. En moyenne, chaque année, trois nouveaux établissements entrent en opération. En 1897, un total de 63 conserveries fonctionnent d'un bout à l'autre de l'archipel avec 1 068 employés des deux sexes. Les 748 000 boîtes de homard produites, d'une valeur de 150 000 $ à l'usine, représentent plus de 70 % de la production québécoise et près de 7 % de celle du Canada. Les 76 000 cages utilisées pour la capture du précieux crustacé sont surtout concentrées dans les lagunes et les « petites eaux » autour de l'île Brion, de la Grosse Île et de l'île de la Grande Entrée, ainsi qu'à l'ouest des îles du Havre Aubert et du Cap aux Meules.

Le travail des ouvrières affectées à la mise en conserve du homard à l'usine coopérative de L'Étang-du-Nord, dans les années 1950, ressemble fort à celui que leurs grands-mères ont effectué au même endroit au XIXe siècle. (Coll. Musée de la Mer)

Comme l'effort de pêche au homard s'effectue surtout dans la partie nord, presque inhabitée, de l'archipel, l'essentiel de la main-d'œuvre provient des trois îles principales. Dès l'ouverture de la saison, début mai, des centaines de pêcheurs, d'ouvriers et d'ouvrières gagnent les îles Brion et aux Loups, la Grosse Île et l'île de la Grande Entrée. À terre, le travail est divisé entre les sexes. Les hommes transportent le homard et le font bouillir, réparent les bâtiments et les cages, et confectionnent les caisses qui contiennent 48 boîtes de homard. Les femmes et les filles, souvent très jeunes, polissent les boîtes métalliques, les emplissent de queues et de pinces, les seules parties du crustacé qui sont utilisées, et les scellent à l'étain. Hors de la conserverie, elles héritent aussi des tâches qui leur sont si familières : cuisine, entretien des vêtements, ménage.

La fermeture des conserveries, à la mi-juillet, ne donne pas le signal du retour pour la majorité des pêcheurs venus du sud. Un grand nombre reste jusqu'à l'automne pour pêcher et préparer la morue ou pour mettre du maquereau en baril. Au fil des ans, toutefois, plusieurs décident de s'installer à demeure sur l'île de la Grande Entrée. Avant la fin du siècle, d'autres font de même à proximité de la grosse conserverie de Pointe-aux-Loups. À l'inverse, de nombreux jeunes Madelinots célibataires poursuivent, à compter de 1900, leur périple annuel en gagnant les chantiers forestiers de la Côte-Nord.

Au cours des années 1890, l'intensité de l'effort de pêche aux Îles commence à épuiser les fonds de homard de la même façon que précédemment ailleurs sur la côte atlantique. Depuis 1877, le gouvernement fédéral avait établi une dizaine de zones de pêche, dotées chacune de leur période d'interdiction des captures, ainsi que d'une taille minimale des homards. Toutefois, les rares inspecteurs se contentent de renforcer la période de prohibition, mais laissent, la plupart du temps, le contrôle des prises aux industriels. En fait, les cages aux lattes serrées emprisonnent sans discrimination, la remise à l'eau des petits homards ne fait pas encore partie des usages, et tout passe à la bouilloire, autant les femelles portant des œufs que les homards minuscules.

En 1890, un observateur de passage aux Îles note qu'il faut désormais huit crustacés pour remplir une boîte de homard. L'inquiétude des inspecteurs des pêches concerne surtout les lagunes du Havre aux Maisons et de la Grande Entrée, car ils sont persuadés que l'extraordinaire richesse des fonds côtiers en homard tient aux eaux chaudes des lagunes comme lieux de reproduction du crustacé. À leur demande, le ministère des Pêches interdit, en 1894, l'exploitation de ces viviers naturels, mais les industriels résistent et les prises continuent avec un plus grand nombre de pièges. On imagine mal le nombre de petits homards qu'il a fallu capturer, en 1905, pour remplir les 885 000 boîtes produites par les conserveries des Îles, l'année record de l'industrie. C'est alors que le ministère prend les grands moyens pour faire respecter sa réglementation : il poste le *Davies*, un yacht à vapeur, aux Îles. Quelques années plus tard, la pêche dans les lagunes a enfin cessé.

Le gouvernement fédéral peut dès lors aller de l'avant avec son projet de pisciculture à Havre-aux-Maisons. À la première année d'opération, en 1910, il commence à reconstituer les stocks des lagunes en y relâchant les 40 millions de homards

La pointe de la Grande Entrée en 1937.
Des cages à homard et des conserveries.
(Coll. Musée de la Mer)

naissants produits à la pisciculture. Les conserveries qui s'approvisionnaient exclusivement dans les lagunes doivent fermer leurs portes et le nombre d'établissements chute. La consolidation se poursuivra dans les années 1920 et 1930. En 1936, on ne compte plus que 15 conserveries de homard, qui produisent encore tout de même 88 % du homard québécois. Une autre conséquence de la fermeture des lagunes sera la nécessité pour les industriels d'exploiter les fonds de homard les plus éloignés. Ils doivent s'équiper de barges à moteur ; dès 1913, 70 seront en usage.

Contrairement à de nombreuses régions de la côte atlantique, où les conserveries disparaissent, comme en Gaspésie, la mise en place de mesures de conservation a permis de sauver l'industrie du homard aux Îles-de-la-Madeleine. La pisciculture est bientôt abandonnée, car l'obligation faite aux pêcheurs de remettre à l'eau les femelles porteuses d'œufs s'avère le moyen le plus efficace de protéger la ressource. Dans les années 1920, l'archipel commence à expédier vivante une partie de ses prises sur le continent, et au début du XXIe siècle, c'est tout le produit de la pêche qui est commercialisé de la sorte. Et jamais plus on ne permettra la pose de cages dans les lagunes.

Les Madelinots, des pêcheurs côtiers

Des années 1870 à 1930, les régions de l'est du Canada subissent une profonde transformation de leur économie. L'exploitation forestière et minière, l'industrie des pâtes et du papier, celle du fer et de l'acier et la construction navale provoquent une urbanisation accélérée au Nouveau-Brunswick et en Nouvelle-Écosse. En parallèle, la pêche hauturière sur les grands bancs remplace de plus en plus la pêche côtière, une activité souvent peu rentable et à temps partiel. Grâce à l'exceptionnelle richesse des fonds côtiers de leur archipel, les Madelinots échappent à ce modèle. Les expéditions de chasse et de pêche vers la côte du Labrador sont peu à peu abandonnées, et les marchands, les industriels et les pêcheurs adoptent de nouvelles techniques de capture, de traitement, de conservation et d'expédition pour la morue, le hareng et le maquereau. L'usage de la barge à moteur se généralise, tous les ports de pêche sont dotés de glacières et le produit qui fait encore la réputation de l'archipel, le homard vivant, trouve sa filière commerciale vers le continent. Même si l'industrie du homard en conserve occupe le premier rang dans l'économie insulaire, elle n'en a pas le monopole. En fait, la valeur du produit des pêches secondaires continue de croître. Sur les deux grandes îles du Havre Aubert et du Cap aux Meules, la valeur combinée des prises de morue, de maquereau et de hareng est supérieure à celle du homard. Au Havre aux Maisons, les pêcheurs ajoutent la chasse printanière au loup marin sur des goélettes ou à partir du rivage, une activité de moins en moins pratiquée sur les autres îles vu son rendement déclinant. Dans les îles du nord-est qui accaparent désormais la moitié de la valeur des pêches de tout l'archipel, la préparation de la saison de homard occupe tous les hommes et bien peu se soucient désormais des mouvées de loups marins.

La capture et le séchage de la morue continuent d'occuper la première place chez les pêcheurs côtiers dans les havres naturels de Havre-Aubert et de L'Étang-du-Nord jusqu'aux années 1930. À Havre-Aubert toutefois, un nouveau joueur s'ajoute quand la compagnie *Maritime Packers Ltd* entreprend l'expédition du homard vivant vers la Nouvelle-Écosse. Au cours des années 1920, elle en achemine jusqu'à 450 000 kilos vers le continent. Ailleurs sur l'archipel, la morue occupe une place de moins en moins grande, car la production morutière glisse sous la barre des 20 % du total de la valeur des expéditions de l'archipel. D'ailleurs, selon l'inspecteur des pêches, peu de résidants des îles du nord s'adonnent encore à la capture de la morue à la fin du XIXᵉ siècle.

L'abondance du hareng ne se dément pas et la valeur commerciale de l'espèce croît au fil des décennies. L'archipel continue à recevoir la visite printanière des pêcheurs néo-écossais, américains et français en quête de boëtte pour appâter leurs lignes. Au début du XXᵉ siècle, les industriels du hareng fumé viennent encore acheter des milliers de barils de hareng, jusqu'à 30 000 certaines années, pour fournir leurs fumoirs de

Eastport et de Lubec au Maine. Le hareng et les œufs de hareng fournissent aussi aux Madelinots un inépuisable réservoir d'engrais pour la culture de la pomme de terre et du navet, deux incontournables du régime alimentaire des insulaires.

Comme le manque d'appâts est souvent la cause des mauvaises saisons de pêche sur la côte atlantique, le gouvernement fédéral entreprend un programme de construction d'établissements frigorifiques pour la conservation de la boëtte. Une première glacière est en opération à L'Étang-du-Nord en 1905, puis d'autres établissements s'ajoutent ; en 1913, l'archipel compte 13 congélateurs ou glacières. Mais déjà le hareng s'est trouvé d'autres utilisations commerciales. Salée et mise en baril, une certaine quantité est expédiée en Europe et aux Antilles via Halifax et, au début du XXe siècle, des industriels des Îles construisent des fumoirs à Grande-Entrée, à Havre-aux-Maisons et à Cap-aux-Meules. Comme il est exploité à tous ces usages, la

Le hareng, qui a mariné dans une forte saumure, est embroché par les ouïes sur des baguettes de bois déposées sur un boyard pour le transport vers le fumoir.
(Coll. Musée de la Mer)

valeur commerciale du hareng atteint celle de la morue avant
la Première Guerre mondiale. Le hareng frais ou salé constitue
aussi un élément important de la diète des Madelinots.

Pendant fort longtemps au XIXe siècle, la pêche au maquereau autour des Îles a été laissée aux goélettes américaines. Des
marchands locaux et leurs grossistes néo-écossais s'engagent
toutefois de façon graduelle dans cette activité. Ils fournissent
les barils neufs et le sel aux pêcheurs insulaires et acheminent
vers les marchés extérieurs, aussi loin qu'en Asie, le maquereau
salé. Le principal problème lié à cette pêche tient aux grandes
variations annuelles dans le volume des prises et le niveau des
prix. Au cours des premières décennies du XXe siècle, ceux-ci
fluctuent fortement, d'un sommet de 16 $ à moins de 3 $ le baril. En bas de 4 $, on estime que le maquereau est produit à perte.
Pour les Madelinots, le volume et le prix du maquereau d'été et
d'automne déterminent souvent le succès ou l'échec d'une saison de pêche.

La préparation et la mise en baril du maquereau sur le quai de Cap-aux-
Meules, vers 1940.
(Coll. Musée de la Mer)

Avant 1930, l'économie des Îles-de-la-Madeleine reste donc essentiellement tournée vers les marchés extérieurs. Ses principaux produits sont entièrement exportés et les Madelinots demeurent, en forte majorité, des pêcheurs professionnels, à la différence des Gaspésiens qui sont surtout devenus, au fil des ans, des travailleurs du bois. Un autre constat illustre bien cette réalité : avec une population dix fois moindre, la valeur du produit des pêches des Îles atteint la moitié de celle de la Gaspésie. Cette dépendance quasi totale des Madelinots envers les marchés extérieurs va s'avérer très néfaste à mesure que le monde s'enfonce dans la Grande Dépression, car c'est le commerce international qui est le plus touché par la crise des années 1930.

Les limites de l'agriculture de subsistance

Les années 1875 à 1930 voient une transformation complète de l'agriculture québécoise, alors que les cultivateurs se tournent résolument vers l'élevage et la production laitière. Aux villes québécoises en forte croissance s'ajoute le marché international. En 1900, près de 2 000 beurreries et fromageries expédient des milliers de tonnes de fromage cheddar et de beurre vers l'Angleterre et les États-Unis. Les animaux sur pied, le bacon, la pomme de terre et le foin rejoignent ce courant commercial. Désormais, l'agriculture de subsistance se confine aux territoires de colonisation récente, sur les plateaux appalachiens et laurentiens, ainsi que vers les zones de pêche de l'est, où les petites exploitations ne produisent guère que pour la consommation familiale.

Aux Îles-de-la-Madeleine, la croissance du nombre d'exploitations agricoles vient, à la fois, du morcellement des lots déjà occupés et de la colonisation des nouveaux terroirs. Comme les sols les plus propices à la culture et à l'élevage sont exploités, en 1870, sur les trois îles principales, c'est le nord et l'ouest des îles du Havre Aubert et du Cap aux Meules qui reçoivent la majorité des nouveaux occupants. Entre 1870 et 1930, l'île du Cap aux Meules accapare 45 % des nouvelles fermes de subsistance de tout l'archipel, une croissance surtout concentrée dans ce qui deviendra la municipalité de Fatima. Au tournant du

XXe siècle, la grande île produit la moitié de l'avoine, des pommes de terre et des navets de l'archipel. Au total, le nombre de fermes passe de 518 à 1 050 au long de ces 60 années, sur l'ensemble de l'archipel. Dès la fin du XIXe siècle, l'âge d'or de l'élevage aux Îles semble déjà révolu. Entre les recensements de 1871 et de 1931, le cheptel total décroît de 1 700 têtes. En fait, le nombre de chevaux, de bêtes à cornes, de moutons et de porcs gardés sur la ferme passe de 20 à 8, en moyenne, au cours de ces années. La cause principale de ce plafonnement tient à la superficie limitée des pâturages naturels et des prairies où le foin est récolté pour hiverner les animaux qui ne sont pas sacrifiés à l'automne. Les Madelinots ne peuvent, au contraire des éleveurs du continent, accroître leurs prairies au rythme des déboisements et des défrichements. De plus, ces surfaces couvertes de foin naturel ne profitent d'aucune restitution, car les engrais, essentiellement du hareng et des œufs de hareng, des carcasses de homard résidus des conserveries, sont réservés aux potagers et aux champs de pommes de terre et de navets.

La diminution du cheptel vient essentiellement de celle des ovins dont le nombre passe d'un sommet de 5 500, en 1890, à guère plus de 2 000 en 1930. Cette baisse trahit l'abandon progressif de la confection du drap de laine à la maison pour fabriquer les vêtements au profit de l'achat de tissus chez les marchands. Les pâturages des Îles conviennent pourtant bien aux moutons, beaucoup plus qu'aux gros animaux dont le nombre continue de croître. Ce lourd cheptel est mal adapté aux ressources insulaires. Les Madelinots gardent surtout des grandes vaches Holstein, qui mangent beaucoup, alors que la petite Jersey, moins gourmande, pourrait fournir un lait plus riche pour la fabrication du beurre domestique, un produit d'importation très coûteux. De plus, les Madelinots possèdent surtout de forts chevaux percherons qu'ils utilisent avant tout sur la route, un usage pour lequel une race plus légère conviendrait mieux.

C'est l'évolution du nombre de chevaux qui illustre le mieux l'épuisement du potentiel agraire de l'archipel. Alors que le nombre de familles s'accroît d'environ 800 au long de ces six décennies, le nombre de chevaux augmente d'à peine 200 têtes. Comme il serait étonnant que les fiers Madelinots se soient soudain lassés du bel animal, peut-être faut-il voir dans cette évolution un des indices de l'appauvrissement généralisé. L'amélioration certaine du réseau routier depuis 1900 aurait pourtant dû se traduire par une forte croissance du nombre de chevaux. Il ne fait guère de doute que cette difficulté d'acheter et d'entretenir un cheval aux Îles est un des facteurs qui vont en pousser plusieurs à l'exil sur le continent.

Si l'exigeant élevage chevalin ne convient plus aux ressources déclinantes des petites fermes, les Madelinots doivent se tourner vers des productions plus faciles et d'un rapport immédiat. Le cheptel aviaire croît et on garde, en moyenne, une vingtaine de poules, en 1930. Une majorité de familles entretient

La fenaison. À l'arrière-plan, une barraque à foin attend sa cargaison.
(Coll. Musée de la Mer)

un petit jardin, mais le tiers des Madelinots n'ont pas de légumes pour passer l'hiver. Grâce à l'abondant engrais fourni par la mer et à l'absence de maladies reliées à la pomme de terre, la culture du tubercule atteint un sommet en 1920 avec quatre tonnes métriques par ménage. Mais la diète des insulaires reste encore beaucoup trop composée de trois éléments : la pomme de terre, le hareng et la mélasse.

Cependant, le principal problème lié à l'épuisement des ressources terrestres tient au rapide déclin de la disponibilité forestière. Au début du XXe siècle, presque tout le bois de construction vient du continent et l'usage de clore les champs est peu à peu abandonné. Le bois de chauffage est désormais partout insuffisant, sauf à l'île Brion et à la Grosse Île. Ceux qui possèdent ou louent des terrains boisés sur les îles principales vendent de plus en plus cher la « traînée de bois » à leurs clients. À compter de 1880, les commerçants et les industriels du homard commencent à importer du charbon de la Nouvelle-Écosse. Au XXe siècle, l'usage du charbon, d'abord réservé au chauffage des commerces et des édifices publics, se répand chez les pêcheurs, à tel point que l'on en utilise 3 000 tonnes par année pour le seul chauffage domestique, à la veille de la Grande Dépression. La hausse du prix du charbon ajoute une contrainte financière supplémentaire aux ménages au début des rudes hivers.

Les Madelinots découvrent donc, dans les premières décennies du XXe siècle, à quel point fragile est la base de leur économie. Les pâturages doivent supporter un trop nombreux cheptel, une fraction croissante des familles ne peut entretenir un cheval, et le coût du chauffage des petites maisons mal isolées contre le vent et la froidure devient exorbitant. La chasse printanière au loup marin est parfois d'un rendement nul, le maquereau d'automne est souvent absent et les fonds de homard ont été surexploités. En 1930, les Madelinots sont à un tournant de leur histoire quand frappe la Crise.

Les sirènes du continent

Les dernières décennies du XIXe siècle et les premières du XXe sont marquées par l'industrialisation et l'urbanisation dans l'est de l'Amérique du Nord. Les surplus de population des campagnes gagnent les villes pourvoyeuses d'emplois et l'exode rural frappe les communautés qui vivent de la pêche côtière et d'une agriculture de subsistance. Plusieurs régions du Québec voient leurs effectifs de population stagner ou même régresser. Les Îles échappent à ce modèle. En fait, de 1875, date de l'ouverture d'une première conserverie de homard, à 1905, l'année record de l'industrie, le nombre de Madelinots double. Cette performance est à la fois exceptionnelle et remarquable dans le contexte général de l'économie de l'est du Canada (figure 3.1).

L'industrie du homard amène une nouvelle distribution de la population insulaire alors que les nouveaux ménages s'installent dans des secteurs souvent impropres à l'agriculture de subsistance, sur les îles de la Grande Entrée, aux Loups et du Cap

Le bateau postal *Lady Cybil* au quai de Grande-Entrée, le 15 août 1910. (Coll. Musée de la Mer, photo Jos. A. LeBourdais)

aux Meules. Entre 1871 et 1931, la population des îles du nord-est (Brion, Grosse Île, la Grande Entrée, île aux Loups) passe de 150 à plus de 1 000. Celle de l'île du Cap aux Meules triple, de 1 050 à 3 312. Ces cinq îles sont responsables des deux tiers de la croissance du nombre d'insulaires et leur proportion du total de la population de l'archipel passe de 38 à 54 %. Ce sont donc surtout sur les îles du Havre Aubert et du Havre aux Maisons que l'on rencontre les candidats à l'exil.

FIGURE 3.1
La population des Îles-de-la-Madeleine 1831-1931

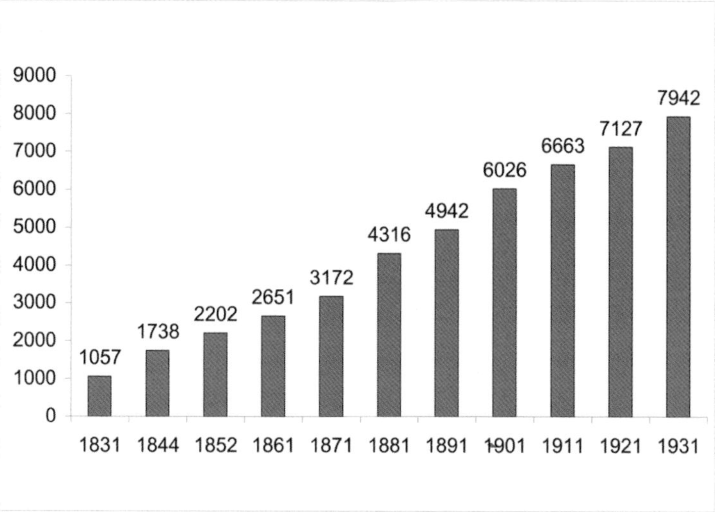

Source : Recensements du Bas-Canada et du Canada.

L'arrivée de l'industrie du homard amène aux Îles de nouvelles familles anglophones de la Nouvelle-Écosse et de l'Île-du-Prince-Édouard qui apportent avec elles leur expertise dans la pêche aux cages et dans le fonctionnement des conserveries. Beaucoup de ces nouveaux venus sont des gérants, des contremaîtres et des inspecteurs de la qualité au service des industriels américains et néo-écossais. Nombre d'entre eux s'installent avec leur famille à proximité de leur lieu de travail, surtout sur les îles qui se spécialisent dans le traitement du homard, la Grosse Île et la Grande Entrée. Au recensement de 1881, les 255 Anglais, 158 Écossais et 124 Irlandais représentent 12,5 % de tous les Madelinots, une proportion record pour l'ensemble des XIXe et XXe siècles. À compter des années 1900, toutefois, cette présence anglophone s'affaiblit au rythme du mouvement d'exil vers le continent. Les Madelinots d'origine britannique comptent donc pour bien peu dans la croissance de la population insulaire. Les quelque 9 500 individus dégagés par le solde des naissances sur les décès survenus aux Îles, entre 1870 et 1930, sont en très forte majorité d'origine acadienne. L'archipel conserve la moitié de ces généreux excédents naturels, l'autre moitié, soit près de 5 000 Madelinots, s'en va à l'extérieur. Le courant migratoire varie d'une décennie à l'autre, au gré du dynamisme de l'activité économique locale et de l'attrait croissant des villes industrielles du continent. Il est permis de croire que les Îles conservent plus des deux tiers de leurs surplus naturels avant 1905, et qu'elles en perdent plus des deux tiers par la suite. Les années les plus sombres à ce chapitre correspondent à la décennie 1911-1921, alors que l'archipel enregistre un bilan migratoire négatif de 1 500 individus.

Le départ de quelques familles vers des lots de colonisation des vallées de la Matapédia, au Québec, et de la Miramichi, au Nouveau-Brunswick, au tournant du siècle, représente un bien mince apport dans le courant migratoire vers le continent. La très grosse majorité des émigrants se dirige plutôt vers les villes en forte croissance du Québec où les emplois dans les manufactures et les usines sont nombreux. La reprise qui se manifeste à compter de 1896, le *boom* industriel amené par les usines de matériel de guerre, entre 1914 et 1918, les années de croissance qui précèdent la Crise de 1930, sont autant d'occasions pour les Madelinots des deux sexes d'aller sur la « Grand' Terre ». Le Saguenay constitue la destination privilégiée des exilés : Kénogami, en 1912, puis Arvida et Jonquière. La guerre, puis l'après-guerre en poussent aussi un grand nombre vers Montréal où ils se concentrent à Verdun.

La « Grand' Terre » n'attire pas que ces exilés définitifs. Il s'établit dès les premières années du XXᵉ siècle un autre courant dont l'intensité va croître jusqu'aux années 1960, celui des travailleurs migrants saisonniers. Les camps forestiers de la rivière Sainte-Marguerite qui fournissent la matière première de l'usine de pâte de bois de Clarke City, près de Sept-Îles, accueillent de larges cohortes de bûcherons. Dans les années 1920, ils sont des centaines à entreprendre la transhumance automnale. D'autres jeunes hommes vont travailler dans les mines de la Nouvelle-Écosse et des jeunes filles gagnent aussi cette province comme servantes ou ouvrières de conserveries. Cette migration saisonnière n'est d'ailleurs bien souvent qu'un prélude à l'exil définitif.

Le quai de la pointe Shea avec son phare, dans les années 1940. À l'arrière-plan, le deuxième hôtel Shea, sur le site actuel du Musée de la Mer. (Coll. Musée de la Mer)

L'ère des communications modernes

L'archipel connaît une véritable révolution dans les liaisons entre les îles et avec le continent, de 1875 à 1930. Au début de la période, le voyage mensuel d'une goélette affrétée par le ministère des Postes, durant la saison de navigation, constitue le seul lien officiel avec le continent. À la fin des années 1920, le gros vapeur des Postes peut accoster plusieurs quais lors de son service hebdomadaire, des routes gravelées relient les principales concentrations de population, et la plupart des Madelinots vivent à proximité d'un bureau de poste, de télégraphie ou de téléphonie. Et, surtout, l'isolement hivernal est enfin rompu grâce à la télégraphie sans fil et au tout nouveau service de la poste aérienne. Dans le domaine des transports et des communications, les Madelinots sont passés, en quelques décennies, du Moyen Âge au XXᵉ siècle.

Le pont de bois reliant les îles du Cap aux Meules et du Havre aux Maisons.
(Coll. Musée de la Mer, photo J.J. LeBourdais, 15/10/1955)

Le pacte confédératif de 1867 confie au gouvernement fédéral la responsabilité du système postal. Ottawa fait de la sécurité et de la rapidité de la livraison du courrier une de ses priorités. Les Îles profitent bientôt de cet engagement. Désormais, un contracteur des Postes va assurer un service Pictou–Îles-de-la-Madeleine avec un arrêt à Souris à l'Île-du-Prince-Édouard. Comme Pictou est relié par chemin de fer au Canada central, depuis 1876, le service offert par le bateau postal, de la mi-avril à la mi-décembre, est à la fois rapide et fiable. Douze différents vapeurs, d'une vitesse et d'un tonnage croissants, assurent la liaison avec le continent, de 1875 à 1924. Depuis cette dernière année jusqu'en 1960, c'est le *Lovat*, rebaptisé *Madeleine* en 1945, qui prend le relais.

Cette liaison maritime, grassement subventionnée par le gouvernement canadien, ne sert pas qu'au transport du courrier, car elle devient bientôt l'artère essentielle à la vie économique de l'archipel. Le quai et la gare de Pictou constituent la plaque tournante des échanges des personnes et des marchandises entre le continent et les Îles. Le bateau postal assure le va-et-vient des travailleurs saisonniers, des élèves des couvents et des collèges du continent, des fonctionnaires, des commis voyageurs et des premiers touristes. Il amène sur les quais des Îles les commandes des commerçants et des industriels, comme le bois de construction, les agrès de pêche, le sel et les boîtes métalliques vides pour les conserveries, les produits d'épicerie et de quincaillerie, les vêtements et les chaussures, le charbon et le kérosène. Le navire postal effectue, de plus, deux voyages par mois vers Halifax, où il transporte annuellement des milliers de caisses de homard, de barils de morue et de maquereau.

Comme les havres naturels des Îles ne peuvent recevoir ces vapeurs de fer et d'acier jaugeant plusieurs centaines de tonnes, le ministère fédéral des Travaux publics doit entreprendre un coûteux programme de construction de quais et de brise-lames. En 1909, les quais commerciaux de Havre-Aubert (pointe Shea), Cap-aux-Meules, Pointe-Basse (Havre-aux-Maisons) et Grande-Entrée sont tous ouverts au trafic. Au cours des années 1920, une vingtaine de milliers de tonnes de marchandises y transitent chaque année. Les quais de la pointe Shea et de Pointe-Basse, trop exposés aux intempéries, seront toutefois laissés à l'abandon dans les années suivantes.

Les marchandises manutentionnées sur les quais sont transportées par des charretiers dont certains ont déjà troqué leur cheval pour un camion en 1930. Depuis 1914, le réseau routier des Îles s'est grandement amélioré, grâce à un programme provincial d'aide aux municipalités pour la construction de solides routes de gravier. Les premiers travaux sont d'abord effectués sur les îles du Cap aux Meules et du Havre aux Maisons, puis sur celle du Havre Aubert. Dans l'après-guerre, les travaux s'accélèrent, et en 1930 l'archipel compte 115 kilomètres de routes de gravier. En parallèle, l'ouverture de nouveaux chemins secondaires subventionnée par le ministère provincial de l'Agriculture et de la Colonisation permet de relier tous les cantons des Îles. Ce même ministère construit, entre 1927 et 1929, un pont de bois pour relier les îles du Cap aux Meules et du Havre aux Maisons. En 1930, les municipalités des Îles entretiennent plus de 300 kilomètres de routes principales et secondaires.

Toutes ces liaisons maritimes et terrestres sont largement au service du système postal. Le port d'attache du navire postal est relié aux bureaux de poste par des contracteurs locaux. En 1900, il y en a huit permanents et un saisonnier, à l'île Brion.

Le transfert du courrier en provenance de Charlottetown.
(Coll. Musée de la Mer)

Réunion au cours de laquelle des témoins se remémorent la mise à l'eau d'un ponchon en 1910. Lancé vers le premier février de cette année-là, le petit bateau postal improvisé, poussé par des vents favorables, va s'échouer à Port Hasting, sur l'île du Cap-Breton. Le courrier qu'il contient parvient à Halifax le 14 du même mois. Sur la photo, prise en 1947, on peut reconnaître, dans l'ordre habituel, Armand Painchaud, Mathilda Boudreau, Octave Briand et le député Hormidas Langlais. (Coll. Musée de la Mer)

CARTE 3.1
Le réseau télégraphique en 1915

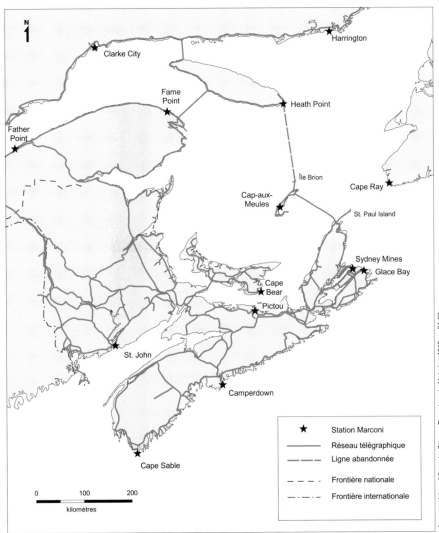

Source : *Atlas of Canada*, Ottawa, Department of Interior, 1915, p. 31-32.
Cartographie : Marie-Claire Dubé

La plupart ne font que la réception et la distribution du courrier, mais les bureaux de poste «comptables» de Havre-Aubert, Havre-aux-Maisons et Cap-aux-Meules sont essentiels à la vie commerciale de l'archipel. Avant l'ouverture d'une première succursale bancaire en 1918, la majeure partie des transactions financières avec le continent s'effectue par mandat postal. Il s'avère l'instrument nécessaire aux échanges des marchands, aux achats par catalogue et aux envois d'argent des travailleurs saisonniers. Le service postal avec l'extérieur demeure toutefois limité à la saison de navigation jusqu'à 1927, alors que le ministère des Postes confie à la *Trans-Continental Airways* le transport hivernal du courrier entre Charlottetown et les Îles-de-la-Madeleine.

À cette date, il y a déjà près d'un demi-siècle que l'isolement hivernal avec le continent est rompu grâce au lien télégraphique. C'est d'abord pour renforcer la sécurité des liaisons maritimes que le gouvernement fédéral entreprend de couvrir le pourtour du golfe du Saint-Laurent d'un réseau de stations télégraphiques. Un câble sous-marin est installé depuis l'île du Cap-Breton jusqu'à celle de la Grande Entrée, un autre entre la Grosse Île et l'île Brion, et des centaines de poteaux sont posés jusqu'à Havre-Aubert. En 1882, toutes les stations de télégraphie de l'archipel sont en opération. Au début du XXe siècle, un autre câble est déposé dans le fond du golfe entre l'île Brion et l'île d'Anticosti, un lien de 172 kilomètres si souvent rompu qu'il sera finalement abandonné.

La fréquente rupture des câbles sous-marins, un accident surtout provoqué par le frottement des glaces près des côtes, ou par les ancres des navires, en mer, interrompt souvent l'unique liaison hivernale des Îles avec l'extérieur. En janvier 1910, des citoyens de Havre-Aubert confient leur courrier à un «ponchon», un baril muni d'une voile et d'un gouvernail, pour manifester leur exaspération devant la rupture du câble vers le Cap-Breton. Ce geste a pour but de convaincre Ottawa de la nécessité d'établir une station de télégraphie sans fil sur l'archipel. La station Marconi de Cap-aux-Meules connaît une forte utilisation dès son ouverture, en 1912. Au fil des ans, la souplesse d'un nouvel appareil, le téléphone, réduit fortement l'usage du télégraphe et, en 1923, le service télégraphique fédéral installe des téléphones dans ses stations des Îles et les relie à trois centraux téléphoniques. La révolution des communications est désormais un fait acquis.

Marchands anglophones et pêcheurs acadiens

Entre 1875 et 1930, la forte croissance de la valeur des produits de la pêche et de la transformation des ressources de la mer apporte aux Îles une première véritable différenciation sociale, bien différente de celle observée dans les paroisses de la vallée du Saint-Laurent. Dans celles-ci, le pouvoir économique et l'influence politique sont distribués entre les élites francophones locales, le notaire, l'avocat et le médecin, le petit entrepreneur forestier et le gros agriculteur, le marchand général et le curé de la paroisse, souvent président de la commission scolaire. Aux Îles, la nouvelle élite est essentiellement économique et est formée de marchands et de transformateurs au service d'intérêts néo-écossais ou américains, comme la *Portland Packing*, l'*Eastern Canada Fisheries* et la *Gorton Pew*.

L'afflux des capitaux extérieurs est d'abord engagé dans l'industrie du homard. À la fin du XIXe siècle, le ministère de la Marine et des Pêcheries estime à 66 000 $ la valeur des conserveries et des cages aux Îles. Ces deux composantes ne représentent toutefois qu'une partie des investissements nécessaires à la mise en boîte du homard. Il faut aussi construire les quais et les débarcadères, les cabanes pour les travailleurs saisonniers, les maisons pour les gérants. Les compagnies possèdent aussi des goélettes et des barges de pêche. Le remplacement des barges à rames par celles à moteur est un exercice coûteux : la valeur des 70 embarcations de ce type atteint 16 500 $ en 1913. D'autres indices témoignent de l'importance des capitaux engagés dans la pêche industrielle. Lors de la faillite de John Ballantyne, en 1893, la liste de ses créanciers enregistrée à la Cour supérieure de Havre-Aubert compte 21 noms et des dettes totales de près de 10 000 $. Au début du XXe siècle, William Gasper Leslie, de Cap-aux-Meules, possède pour 5 000 $ de parts de la Banque

Union de Halifax, ce qui en fait un des plus importants action-
naires.

Durant les décennies qui précèdent la crise des années 1930,
il se brasse donc beaucoup d'argent aux Îles. La valeur du principal produit, la boîte de homard, passe de 0,15 $ à 0,40 $ de
1880 à 1913, celle des pêches dans leur ensemble de 125 000 $ à
570 000 $. La guerre provoque une hausse des prix des produits
traditionnels et l'après-guerre voit la naissance du très lucratif
commerce du homard vivant. Quelques familles d'origine britannique contrôlent la majeure partie du commerce et de la
transformation des pêcheries : Leslie, Delaney, Dingwell, Geddes,
McPhail, Savage. Les marchands francophones comme les
Arseneault, Vigneau, Brasset, Larade et Chiasson, ou ceux d'origine syrienne, Farah, Hadad et Sumarah, s'occupent, eux, surtout de commerce de détail avec les pêcheurs locaux.

Parmi cette petite bourgeoisie composée de marchands généraux et de commerçants de poissons, de propriétaires ou de
gérants de conserveries et de fumoirs, de capitaines de goélettes, ressort le nom de la famille Leslie, les seuls représentants

Le magasin général Arseneau
et Brasset à Havre-Aubert,
vers 1895.
(Coll. Musée de la Mer)

d'une moyenne bourgeoisie insulaire. Au début du XXe siècle, le clan Leslie est solidement établi dans l'anse qui porte son nom, à l'ombre du cap aux Meules. Au cours des années 1910 et 1920, la *William Leslie & Co.* étend son contrôle sur une grande partie des Îles, exploite des conserveries et des fumoirs et achète et entrepose une part grandissante de tous les produits des pêches des Îles. Son poids politique auprès des Libéraux à Ottawa lui permet d'amener les subventions fédérales vers les quais et les brise-lames où elle effectue ses opérations. Au fil des naissances et des décès des membres du clan, l'actionnariat de la *William Leslie & Co.* se transforme, alors que les veuves et les enfants remplacent les aînés. Dans les années 1920, ce sont beaucoup plus les Leslie qui possèdent les Îles-de-la-Madeleine que les héritiers des droits de la famille Coffin.

En 1895, l'épineuse question de la propriété des Îles-de-la-Madeleine trouve enfin une solution partielle. Le gouvernement du Québec refuse d'acheter les droits sur l'archipel des héritiers Coffin, mais va aider au rachat individuel des lots par les locataires. Au XXe siècle, la propriété des Îles change plusieurs fois de main. La perception annuelle des droits suscite de moins en moins de résistance à mesure que l'inflation en réduit le niveau.

L'imposant magasin de la compagnie Leslie à Cap-aux-Meules. Construit en 1925, il sera détruit par le feu en 1946. (Coll. Musée de la Mer)

En 1928, les rentes rapportent à peine 2 800 $ à la *Beaver Realty*, le nouveau détenteur des droits, ce qui représente un total négligeable comparé à celui des contributions religieuses et des taxes scolaires et municipales exigées des familles madeliniennes. Les Madelinots continuent toutefois d'éprouver un sentiment d'injustice devant cette situation humiliante qui les force à vivre dans un relent de féodalité en plein XXᵉ siècle.

La croissance de l'économie des Îles se traduit, pour plusieurs, par la construction d'une grande résidence, l'achat d'une radio à piles et l'usage d'un appareil téléphonique, même d'une automobile, à la fin des années 1920. Cette soudaine aisance demeure toutefois l'apanage de quelques familles, car la majorité des pêcheurs voient plutôt une dégradation de leurs conditions d'existence au cours des dernières décennies du XIXᵉ siècle et des premières du XXᵉ. La multiplication des emplois salariés à l'intérieur et à l'extérieur des Îles augmente les échanges en argent, mais le poids du crédit chez les marchands ne s'allège guère. Les poursuites des marchands contre leurs clients débiteurs constituent d'ailleurs encore l'essentiel du travail des juges de la cour de Havre-Aubert tout au long de ces années.

Dans leurs ouvrages consacrés aux Îles-de-la-Madeleine, publiés dans les années 1920, le frère Marie-Victorin et Paul Hubert rendent compte de cette pauvreté tout empreinte de dignité qui afflige la majeure partie des Madelinots. Pour eux, il semble n'exister aucun rapport entre les richesses de la mer, le volume des captures et le niveau de vie des insulaires. Mais la pauvreté généralisée des Acadiens d'origine a d'autres conséquences. Comme l'aisance matérielle est associée à la langue anglaise, l'apprentissage et l'usage du français, la survivance des traditions acadiennes sont regardés avec mépris par plusieurs. De plus, seules quelques familles peuvent envoyer leurs enfants sur le continent pour poursuivre leurs études. Enfin, les rares soins de santé sont réservés à ceux qui peuvent se payer les services du médecin.

La santé, une responsabilité familiale

Avant 1930, l'archipel constitue la région du Québec où les soins de santé sont les moins accessibles. Aux Îles comme ailleurs, les médecins éprouvent de la difficulté à se constituer une clientèle payante et ils doivent souvent exercer un autre métier en parallèle, comme le docteur Patrick Peter Delaney, premier député provincial des Îles et marchand général. Au Québec, le gouvernement n'intervient qu'en cas d'épidémie majeure, en finançant l'isolement des malades et en aidant les institutions qui hébergent les handicapés mentaux dangereux. Aux Îles, c'est le gouvernement fédéral qui agit le premier depuis les années 1890 : le ministère de la Marine et des Pêcheries rembourse aux docteurs Delaney et Jean-François Solomon les frais d'hébergement et de traitement des marins étrangers blessés ou malades.

Ironiquement, cette faible présence du corps médical aux Îles n'a pas que des inconvénients ; c'est sans doute grâce à elle que l'archipel conserve le plus bas taux de mortalité périnatale au Québec. Sur le continent, les médecins ont gagné leur long combat contre la pratique des sages-femmes, mais ne sont pas en mesure de les remplacer de façon efficace. L'obstétrique constitue pour eux la partie la moins intéressante et la moins rémunératrice de leur art et la plupart la pratiquent à contrecœur. Les taux de mortalité des enfants à la naissance et des mères à l'accouchement demeurent très élevés. Aux Îles, par contre, les médecins laissent le champ libre aux sages-femmes et à leurs méthodes éprouvées de longue date. Il y a au moins une sage-femme dans chacun des cantons de l'archipel qui peut assister ses voisines aux heures les plus critiques.

Les années qui suivent la naissance sont toutefois bien dangereuses pour les petits Madelinots exposés aux maladies du jeune âge. La variole, les fièvres typhoïdes, la diphtérie et les diarrhées continuent à prélever un lourd tribut. Les écoles sont fréquemment fermées pour cause d'épidémie et les jeunes enfants de moins de 10 ans représentent souvent plus de la moitié des décès portés aux registres paroissiaux. Les adultes ne sont pas non plus à l'abri des maladies contagieuses car, contrairement à ce que l'on pourrait croire, la dispersion des îlots de peuplement s'avère un frein inefficace à la progression des infections. Durant l'hiver, les visites à la parenté des îles voisines font partie de la tradition madelinienne et, à la belle saison, le constant va-et-vient des pêcheurs, des travailleurs et travailleuses des conserveries constitue une nécessité économique.

C'est d'ailleurs au cours de la saison du homard de 1891 que survient la pire calamité qui ait jamais frappé la population de l'archipel en deux siècles d'histoire. Les premiers décès surviennent à Bassin, la maladie gagne bientôt le Havre Aubert, puis les îles centrales. Du 7 au 10 juin, on enregistre 18 décès sur tout l'archipel. Au total, du 31 mai au 30 juin, 61 Madelinots perdent la vie. Des témoignages permettent de croire que la grippe serait responsable du fléau. Aux Îles, cette épidémie d'influenza va faire beaucoup plus de victimes que celle de 1918. D'ailleurs, avec le décès de 3 % de la population adulte de l'archipel, le tragique épisode du mois de juin 1891 est trois fois plus mortel que celui du Québec de 1918.

L'épidémie d'influenza de l'automne 1918, « la grippe espagnole », est l'occasion pour le gouvernement provincial d'intervenir pour la première fois dans la dispensation des soins de santé aux Îles. Il y envoie des médecins et soutient financièrement les municipalités. Cette crise a pour conséquence directe de forcer l'État à s'impliquer davantage dans les soins de santé et la salubrité publique, des responsabilités laissées jusque-là aux institutions de bienfaisance et de charité ainsi qu'aux conseils municipaux. À l'automne 1922, le Service provincial d'hygiène crée le sous-district sanitaire des Îles-de-la-Madeleine, une subdivision du district de Gaspé, sous la direction du docteur André Gallant de Havre-Aubert.

Les rapports annuels du docteur Gallant permettent de constater l'écart qui s'est creusé entre les Îles et le continent dans les interventions sur la salubrité publique, la lutte contre les épidémies et la mortalité infantile. La grippe, la typhoïde et les maladies du jeune âge frappent encore de façon régulière. Le taux de mortalité par la tuberculose est le plus élevé de tous les comtés de la province. La concentration des populations en hameaux amène une contamination des sources d'eau potable par les égouts, et le docteur Gallant doit souvent déclarer des logements insalubres. Ces rapports du docteur Gallant à ses supérieurs à Québec vont sans doute influer sur la décision du Service provincial d'hygiène d'ouvrir des dispensaires aux Îles et, quelque temps plus tard, un véritable hôpital.

Les progrès de l'alphabétisation

De 1875 aux années 1920, l'alphabétisation des Madelinots progresse lentement mais sûrement. Le recensement de 1871 avait montré que deux adultes sur trois étaient alors incapables de lire et d'écrire. À la veille de la Grande Dépression, la grande majorité des Madelinots peut être considérée comme alphabétisée. L'usage de la lecture et de l'écriture vient moins d'une obligation liée au travail que de la nécessité de garder le contact avec les milliers d'insulaires exilés, sans espoir de retour, sur la « Grand' Terre ». Au XXe siècle s'ajoutent de larges cohortes de travailleurs migrants saisonniers partis pour de longues périodes vers les conserveries, les manufactures, les mines ou les camps forestiers du continent et qui vivent dans l'attente de la prochaine lettre des Îles.

Les commissions scolaires continuent à fonctionner avec les maigres revenus tirés de la taxe scolaire et avec l'aide dérisoire du gouvernement provincial aux municipalités scolaires pauvres. Le rythme de construction des nouvelles écoles est insuffisant pour accompagner la croissance du nombre d'enfants de 5 à 14 ans dont la population double de 1875 à 1905. Le surpeuplement des trop rares écoles atteint un tel niveau que deux petits bâtiments à classe unique ont chacun 100 élèves inscrits en 1900. Du début du siècle à 1930, toutefois, les commissaires catholiques réussissent à ajouter 15 nouveaux établissements aux 13 existants, ce qui permet de réduire à 45 le nombre moyen d'élèves par école. Toutes ces classes sont tenues par de jeunes institutrices formées aux Îles.

La féminisation du corps enseignant est complétée dès la fin du XIXe siècle, alors que des jeunes filles ont remplacé les coûteux instituteurs formés à l'école normale Laval de Québec. Cette substitution a été rendue possible grâce à l'ouverture du couvent des sœurs de la Congrégation de Notre-Dame à Havre-aux-Maisons, en 1877. Les commissions scolaires des Îles préfèrent engager les jeunes finissantes du cours primaire supérieur munies d'un brevet d'institutrice délivré localement, ce qui leur permet de réduire les salaires. Ces filles de 15 ou 16 ans, qui demeurent souvent chez leurs parents, peuvent se contenter d'un plus modeste revenu que les instituteurs chefs de famille. L'inspecteur d'écoles Paquet déplore cette façon de faire, car elle amène une dégradation de la qualité de l'enseignement.

Les inspecteurs Painchaud, Paquet et Thériault qui se succèdent à la tête du district d'inspectorat des écoles catholiques des Îles se plaignent souvent, dans leur rapport annuel au Surintendant de l'Instruction publique à Québec, du manque d'assiduité des élèves. Tout concourt à raccourcir l'année scolaire et à réduire la fréquentation des classes. L'archipel est la seule région de la côte atlantique à posséder une permission de capture du homard au cours des mois de septembre et, dès le début du mois de mai, les jeunes garçons travaillent aux cages avec leur père et les filles accompagnent leur mère à la conserverie. À l'automne et à l'hiver, les parents gardent souvent les enfants à la maison lors des trop fréquentes épidémies. En soixante ans, l'âge moyen de l'abandon des études passe à peine de 9 à 10 ans. En 1930, la moitié des élèves quittent l'école après la troisième année et, pour la plupart de ceux qui restent, la quatrième année représente la fin de la scolarisation.

Le nouveau couvent de pierre de Havre-aux-Maisons ouvre ses portes en 1919. (Musée de la Mer, carte postale)

Au XIXe siècle, les garçons n'ont accès qu'aux quatre années du cours primaire,
alors que les filles peuvent
poursuivre leur scolarité au
couvent de Havre-aux-
Maisons. En 1906, le curé
Samuel Turbide, du même endroit, ouvre l'école Saint-
Joseph, une petite école mo-

dèle où il accueille de 40 à 50 élèves masculins au cours des dix
années suivantes. Malgré tous les efforts du curé Turbide, c'est
plutôt l'île du Cap aux Meules qui accueille la première institution d'enseignement secondaire de l'archipel. L'académie Saint-
Pierre ouvre ses portes en 1919 à La Vernière, près de la grande
église. Les Madelinots auraient voulu confier l'établissement aux
Frères des Écoles chrétiennes, mais l'évêque de Charlottetown
s'y oppose et accorde la direction à l'abbé Joseph Gallant qui
sera assisté de l'abbé Alphonse Arseneault et d'un enseignant
laïc.

La consolidation du système scolaire chez les catholiques
ne s'accompagne pas de semblables progrès chez les anglophones anglicans. Malgré la lourdeur des taxes scolaires que ces
derniers doivent payer, les commissaires ont rarement les revenus requis pour la construction, l'ameublement, les réparations
des cinq écoles et les salaires qui s'y rattachent. Les écoles protestantes fonctionnent de façon très irrégulière et certaines ne
demeurent ouvertes que trois ou quatre mois par année. La centaine de familles anglophones vit dispersée sur tout l'archipel et
les enfants doivent souvent parcourir une longue distance sur
les chemins balayés par les vents d'automne et les bourrasques
hivernales. Durant les premières décennies du XXe siècle, une
ou deux écoles demeurent fermées à cause du manque d'entretien, de la fréquentation trop faible ou de l'absence d'ensei-
gnante.

L'académie Saint-Pierre à La Vernière.
(Musée de la Mer. carte postale)

Or ces institutrices sont bien difficiles à recruter, à tel point que l'alphabétisation des petits Madelinots anglophones est parfois compromise. Les commissions scolaires doivent rechercher sur le continent les titulaires des classes. Régulièrement, pendant l'été, elles font paraître des offres d'emploi dans les plus importants journaux des Maritimes et du Québec, souvent en vain, malgré les salaires concurrentiels offerts. La plupart de ces jeunes filles repartent au terme de leur premier contrat, parfois au début de la saison du homard qui vide les classes. Pour pallier le manque d'institutrices, l'évêque anglican de Québec envoie des étudiants en théologie dont la compétence est mise en doute par l'inspecteur des écoles protestantes. Il n'est donc pas facile d'appartenir à une petite communauté minoritaire dans l'est du Canada, une réalité vécue par la plupart des Acadiens des Maritimes. L'exception madelinienne est de taille, car les rôles sont inversés au profit des Acadiens catholiques francophones.

Malgré les progrès de l'enseignement primaire aux Îles, le retard du niveau de scolarité des Madelinots francophones comparé à celui des autres Québécois persiste. La réforme de l'enseignement de 1923, qui porte le cours primaire de quatre à six années, a peu d'effets immédiats aux Îles. En 1930, les jeunes Madelinots quittent l'école un an ou deux avant leurs homologues du continent. Les quelques classes du couvent de Havre-aux-Maisons et de l'académie de La Vernière offrent bien peu à celles et ceux qui veulent dépasser le simple niveau de l'alphabétisation, et seules quelques familles peuvent se permettre d'envoyer un enfant dans une institution de niveau secondaire du Québec ou du Nouveau-Brunswick

L'acadianisation du clergé

L'Église catholique n'a pas aux Îles le même poids que dans les paroisses du Québec. Le clergé doit surtout s'y concentrer sur sa mission pastorale. Les curés de l'archipel ne peuvent s'appuyer sur les congrégations religieuses de femmes et d'hommes aux effectifs bien garnis dans leur mission d'éducation, de soins de santé et de charité, comme leurs confrères du continent. De plus, leur influence est bien faible auprès de l'élite économique locale dont les membres sont surtout des protestants anglophones. L'Église anglicane des Îles peut, quant à elle, profiter de la générosité de ses fidèles les plus fortunés.

Les trente dernières années du XIXe siècle représentent la période la plus importante dans l'histoire religieuse des Îles-de-la-Madeleine. La création de nouvelles paroisses, la construction de plusieurs églises, chapelles et presbytères et l'arrivée de nombreux prêtres d'origine acadienne permettent un encadrement religieux comparable à celui dont peuvent se prévaloir les catholiques de la vallée du Saint-Laurent. L'appartenance des curés des Îles au diocèse de Charlottetown les dispense de former un conseil de fabrique pour veiller à la gestion financière de la paroisse. Ils peuvent tenir seuls les comptes de leurs ouailles et aucune communauté de frères ou de prêtres réguliers ne vient leur faire concurrence à l'église ou à l'école.

L'église de Havre-aux-Maisons, construite en 1898 et détruite par un incendie en 1973.
(Coll. Musée de la Mer, Photo E.L. Désilets)

Avant 1890, des prêtres du Québec doivent encore offrir leurs services aux paroissiens des Îles. Grâce à l'ordination d'un nombre croissant de séminaristes issus de son diocèse, l'évêque de Charlottetown peut, avant la fin du siècle, se passer des renforts québécois. Aux deux prêtres originaires de l'Île-du-Prince-Édouard, Jean Chiasson et Jérémie Blaquière, viennent se joindre des recrues locales, les abbés Henri et Isaac Thériault, puis Samuel Turbide. Au Québec, les évêques préfèrent déplacer leurs prêtres après quelques années ; aux Îles, les curés demeurent longtemps attachés à leur paroisse. Isaac Thériault dessert Bassin et Havre-Aubert de 1896 à 1931, Jérémie Blaquière occupe le presbytère de La Vernière de 1899 à 1941 et Samuel Turbide, curé de Havre-aux-Maisons de 1899 à 1927, a aussi la charge des dessertes de Grande-Entrée et de Pointe-aux-Loups.

L'intérieur de l'église de Saint-Pierre-de-La Vernière, terminée en 1914. (Photo Normand Perron)

Deux de ces prêtres sont des curés entrepreneurs qui transforment au tournant du siècle le patrimoine bâti de l'archipel. De nouvelles églises sont construites à Havre-aux-Maisons, à La Vernière et à Grande-Entrée, un grand couvent et un collège ouvrent leurs portes en 1919. L'église de La Vernière constitue d'ailleurs encore le joyau architectural de l'archipel. Mais tous ces équipements collectifs destinés à l'éducation et au culte coûtent bien cher en emprunts à rembourser et en salaires. Dans les années 1920, le fardeau des taxes scolaires et des contributions paroissiales et diocésaines prélevées auprès du millier de familles catholiques dépasse sans doute les 30 000 $ annuellement. Dans la paroisse de Saint-Pierre-de-l'Étang-du-Nord qui couvre toute l'île du Cap aux Meules, chaque nouvelle famille doit débourser 40 $ pour aider à amortir la dette de l'église et du presbytère.

Avec la nouvelle économie du homard qui s'installe à compter de 1875, les prêtres catholiques perdent le contrôle sur une bonne partie de leurs fidèles au printemps. La promiscuité qui règne entre les jeunes gens des deux sexes dans les camps saisonniers à proximité des conserveries est pour les curés une constante source d'inquiétude. Ces enfants, adolescents ou jeunes adultes travaillent pour des gérants et contremaîtres anglophones protestants dans des endroits où le pasteur anglican jouit du respect de la communauté, ce qui peut influer sur le choix de la religion de la nouvelle famille lors d'un mariage entre conjoints catholique et protestant. Les curés catholiques rendent aussi les marchands anglophones responsables du trafic légal et illégal d'alcool, accusent le député Delaney et son frère de se livrer au trafic en plus de faire nommer des inspecteurs du revenu accommodants envers ce commerce.

La mission anglicane des Îles-de-la-Madeleine continue à faire partie du diocèse de Québec et ses évêques envoient sur l'archipel des pasteurs qui restent en moyenne trois ans. Même si le nombre de fidèles s'accroît de 275 à près de 700 en 60 ans, le service aux communautés dispersées tout au long de l'archipel de l'île d'Entrée à l'île Brion demeure difficile. Dans les années 1920, une centaine de familles, en majorité pauvres, doivent entretenir quatre temples et deux presbytères, en plus de cinq écoles. Cependant, grâce à la générosité des paroissiens aisés et à la Providence, de nouveaux édifices sont construits au début du siècle. En 1905, le riche marchand William G. Leslie paie la moitié des coûts de la construction de la nouvelle église anglicane de *St. Luke's*, à Cap-aux-Meules, et, en 1916, le bois récupéré du naufrage du vapeur *Kwango*, à l'île Brion, permet l'érection d'un premier temple à Old Harry et d'un grand presbytère à Grosse-Île.

La naissance de la vie démocratique

Les décennies qui précèdent et suivent l'année 1900 constituent pour les Madelinots celles de l'apprentissage de la démocratie. Les conseils municipaux composés d'élus commencent à utiliser les pouvoirs que la loi leur accorde, les Îles deviennent un comté provincial et leurs députés rappellent à Québec que l'archipel fait vraiment partie de la province. Même si les Îles sont toujours incluses dans le comté fédéral de Gaspé, leur situation particulière dans le golfe du Saint-Laurent leur permet d'attirer des investissements majeurs d'Ottawa par l'entremise des importants ministères des Postes, de la Marine et des Pêcheries et des Travaux publics. Il n'est guère d'autre exemple au Québec d'une petite population rurale dont les effectifs passent de 500 à 1 300 familles, de 1867 à 1930, qui ait autant profité des largesses du gouvernement central.

L'année 1874 marque le véritable début de l'administration locale aux mains d'un conseil d'élus aux Îles, près de vingt ans après le Québec dans son ensemble. L'archipel est alors divisé en trois municipalités : Havre-Aubert, comprenant les îles du Havre Aubert et d'Entrée, L'Étang-du-Nord qui couvre toute l'île du Cap aux Meules, et Havre-aux-Maisons avec l'île du même nom et les îles du nord. En 1892, la municipalité de Grosse-Île s'en détache, suivie de celle de Grande-Entrée en 1929. Contrairement aux conseils scolaires, les administrations municipales ne réussissent pas à imposer, au XIXᵉ siècle, la taxation basée sur l'évaluation foncière. La seule contribution demandée aux insulaires demeure celle de travailler bénévolement deux jours par année à la réfection des chemins publics. Peu à peu, les Madelinots deviennent des contribuables au XXᵉ siècle, mais les subventions des ministères provinciaux de la Voirie et de l'Agriculture et de la Colonisation aident de façon croissante les municipalités dans l'entretien du réseau routier.

C'est aussi au cours de ces années que les Madelinots commencent véritablement à participer à la vie politique nationale. Le comté provincial des Îles-de-la-Madeleine est créé en 1895, la première élection s'y tient deux ans plus tard, et les campagnes électorales au niveau fédéral suscitent beaucoup d'intérêt chez les insulaires. Pour les électeurs madeliniens du début du siècle, il importe d'envoyer aux parlements de Québec et d'Ottawa des élus du parti au pouvoir qui vont devoir arracher aux ministères les plus présents aux Îles le plus important volume de travail et de subventions. L'archipel est un fief libéral, à tel point que les premières élections provinciales opposent des candidats de ce parti.

Les trois premiers députés provinciaux sont des Madelinots : le docteur Patrick Peter Delaney, le marchand Robert Jamieson Leslie et le futur inspecteur d'écoles Louis-Albin Thériault. Les électeurs insulaires vont toutefois vite découvrir qu'il importe peu que ce représentant soit un des leurs, car son travail en est surtout un de lobbyiste auprès des ministres libéraux à Québec et à Ottawa. En 1912, Joseph Édouard Caron, ex-député-ministre de L'Islet, inaugure la longue période des élus « parachutés » sur l'archipel. De 1928 jusqu'à la débâcle libérale de 1936, son fils Amédée lui succède. Avant 1930, le pouvoir de dépenser du gouvernement provincial est très modeste et l'aide de Québec se résume à de faibles subventions pour la construction de routes et de petites écoles de canton, pour le fonctionnement du couvent, du collège et l'administration de la justice.

Il en va bien autrement du côté fédéral. De 1897 à 1911, puis de nouveau entre 1917 et 1930, le comté de Gaspé, qui comprend les Îles, est représenté à Ottawa par l'influent ministre libéral Rodolphe Lemieux. L'avocat montréalais, bras droit du premier ministre Wilfrid Laurier, est nommé solliciteur du Canada, puis hérite, en 1906, des importants portefeuilles des

Postes et du Travail. Un vaste programme de construction est entrepris, dès le début du siècle, pour doter l'archipel d'infrastructures de transport, de communication et de pêche modernes. Chaque année, des dizaines, parfois des centaines de Madelinots trouvent de l'emploi dans les chantiers fédéraux de l'archipel. Les travaux débutent à la fin de la saison du homard et les pêcheurs deviennent charpentiers, menuisiers, journaliers et charretiers, pour la construction de quais et de brise-lames, de hangars à marchandises et de congélateurs.

Ces interventions d'Ottawa aux Îles ont essentiellement pour but d'aider les industriels et les marchands à acheminer vers le continent les imposants produits de la pêche de l'archipel, et pour protéger les voies commerciales canadiennes vers l'Europe, les Antilles et la côte est américaine. Les dépenses d'infrastructures fédérales sont réduites dès 1914, le déclenchement de la Première Guerre mondiale modifiant les priorités de l'État. Par ailleurs, si les jeunes anglophones rejoignent volontiers les Forces armées canadiennes, il n'en va pas de même pour les francophones chez qui ni l'enrôlement volontaire ni la conscription ne connaissent de succès. Pour les Acadiens, cette guerre est une affaire d'Anglais. On comprend le peu d'empressement des enfants du Grand Dérangement de 1755 à aller défendre l'Empire dans la boue des tranchées, sous les ordres d'officiers britanniques qui ne parlent pas un mot de français.

4

Coopération et développement, 1930-1960

La Grande Dépression des an-nées 1930 a des répercussions plus profondes aux Îles-de-la-Madeleine que dans la plupart des autres comtés ruraux du Québec. Elle va forcer les insulaires d'origine acadienne à prendre le contrôle de l'économie locale. Désormais, l'archipel n'appartient pas plus à la famille Leslie qu'à ces compagnies qui se transmettent l'héritage de l'amiral Coffin. Le gouvernement du Québec s'intéresse maintenant à son lointain avant-poste du golfe et l'Église catholique du Québec étend aux Îles l'ensemble des responsabilités sociales qu'elle s'est données sur le continent. Dans l'après-guerre, la modernisation de l'économie des pêches et les premières retombées des politiques fédérales de soutien du revenu incitent les Madelinots à rester sur leur archipel. En 1960, le nouveau monde du travail élargit l'offre d'emplois et les jeunes insulaires ne sont plus contraints de choisir entre la pêche et l'exil.

Les Îles dans un monde en crise

L'intégration presque complète de l'économie des Îles aux marchés nationaux et internationaux expose de façon particulière ses industriels de la pêche et ses marchands au choc de la Grande Dépression. Comme les Maritimes sont plus dépendantes du marché international que le Québec ou l'Ontario, la crise les frappe de plein fouet, dès 1930. En mars de cette même année, Frank W. Leslie, héritier de la jadis très prospère et omniprésente *William Leslie & Co.*, doit déclarer faillite. Il ne s'agit toutefois là que de la première manifestation de la débâcle qui va suivre. De 1929 à 1933, la valeur des expéditions des produits de la mer effectuées depuis l'archipel est réduite de moitié.

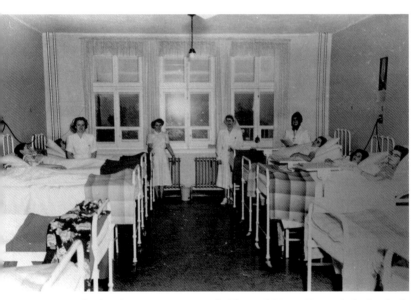

La salle des dames, au 2ᵉ étage de l'hôpital Notre-Dame-de-la-Garde de Cap-aux-Meules. Le tiers des lits sont réservés aux tuberculeux.
(Coll. Musée de la Mer, photo Sœurs de la Charité de Québec, *ca* 1951)

Contrairement à d'autres régions rurales riches en ressources naturelles, l'archipel ne peut se replier sur lui-même en attendant que passent les années de vaches maigres. Son potentiel agricole est déjà développé, sa petite réserve forestière est presque épuisée, ses pouvoirs hydrauliques nuls. En fait, les Îles sont devenues depuis le XIXe siècle entièrement dépendantes des ressources de la mer qui leur fournissent leur seul moyen d'échange pour acheter le bois de construction des édifices, le charbon pour le chauffage, le kérosène des barges à moteur, les produits de quincaillerie et d'épicerie. Avec la Crise, le déficit commercial des Îles avec le continent devient structurel. Les auteurs de l'*Inventaire des ressources naturelles* du comté des Îles-de-la-Madeleine estiment à 385 000 $ la valeur au détail des produits d'épicerie, de farine, de viande, de beurre, de mélasse et de sucre importés, alors que la vente de leurs prises ne rapporteraient que 300 000 $ aux pêcheurs.

La Crise a de profondes répercussions dans la société madelinienne. La tuberculose et la diphtérie, les maladies de la misère, s'accroissent à tel point qu'en 1935 le nombre de décès sur l'archipel surpasse, pour la première fois, celui de 1891, « l'année de la grippe ». L'appauvrissement généralisé apporte son lot de délinquance et certains tentent d'échapper à la misère par la contrebande d'alcool, la capture de homard en temps prohibé ou les vols de toute nature. L'insécurité s'accroît et l'administration judiciaire dispose de si peu de moyens que la prison de Havre-Aubert n'accueille aucun pensionnaire de 1933 à 1936. Rien d'étonnant à cela : désormais, c'est le plaignant qui doit payer les frais de cour et la pension de celui qu'il a réussi à faire condamner ! L'ouverture d'un poste de la Police provinciale, en 1938, donne le signal du retour des règles du droit aux Îles, en même temps que les détenus redeviennent à la charge de l'État.

Les Madelinots francophones et anglophones des deux sexes vont désormais chercher sur le continent les emplois saisonniers qui font défaut sur l'archipel. En 1936, quelque 600 jeunes gens gagnent les chantiers forestiers, la plupart sur la Côte-Nord, et une centaine de jeunes filles s'engagent comme domestiques sur le continent. Selon les auteurs de l'*Inventaire des ressources naturelles*, les bûcherons à eux seuls ramènent 60 000 $ sur l'archipel, ce qui représente une somme supérieure aux 40 000 $ versés en salaires par les entreprises de préparation des produits de la mer des Îles. Là comme ailleurs dans le reste du pays, c'est le déclenchement du second conflit mondial qui vient mettre un terme définitif à la Crise.

Coopération et développement économique

Ces heures difficiles auront au moins une retombée salutaire. Elles vont forcer les pêcheurs acadiens et leurs élites religieuses et laïques à collaborer pour la mise sur pied de tout un réseau d'entreprises coopératives. C'est la Crise qui donne l'occasion d'introduire la coopération sur l'archipel, car les commerçants comme les Savage, Delaney et Sumarah, eux-mêmes aux prises avec la chute des prix et la contraction du crédit, ne peuvent reprendre tous les actifs de la faillite Leslie. Les dirigeants du mouvement coopératif ont compris, après quelques années de tâtonnements, qu'il s'avérait nécessaire d'assumer l'ensemble des fonctions économiques jusqu'alors contrôlées par les marchands, depuis l'organisation des pêches jusqu'à l'expédition des produits transformés vers les marchés extérieurs, en passant par le commerce de gros et de détail et le crédit aux particuliers.

Au début des années 1930, le clergé catholique des Maritimes est fortement engagé dans le mouvement coopératif. L'appartenance de l'archipel au diocèse de Charlottetown l'inscrit naturellement dans cette mouvance. En juin 1930, Mgr Coody, propagandiste de la coopération, vient donner une conférence (en anglais) à Havre-aux-Maisons, et deux coopératives de pêcheurs sont bientôt formées à Havre-aux-Maisons et à L'Étang-du-Nord. Leurs débuts sont difficiles, car tout le secteur des pêches est en plein marasme. À compter de 1937, cependant, et tout au long des dix années suivantes, la croissance du nombre de coopératives locales est phénoménale. En 1947, chacune des paroisses est dotée d'une coopérative de pêcheurs et d'une caisse populaire, et des magasins coopératifs ont remplacé les magasins généraux des marchands dans les endroits les plus populeux.

Comme les caisses populaires jouent désormais un rôle central dans le financement des autres coopératives et qu'elles sont rattachées à l'Union régionale du Québec, tout le mouvement glisse peu à peu dans l'orbite québécoise. Cette emprise québécoise explique sans doute la faible participation des anglophones des Îles au mouvement. Au début des années 1960, une large part de la vie économique et sociale des francophones gravite autour de sept associations de pêcheurs et de leurs trois usines, des quatre magasins coopératifs et des six caisses populaires. La Coopérative de transport élargit son champ d'action, des voisins ont formé des coopératives d'aqueduc pour exploiter en commun les précieuses sources d'eau potable, et tous payent leur facture à la Coopérative d'électricité. Les Madelinots d'origine acadienne ont enfin pris en main les instruments de leur développement.

Les bâtiments de la Coopérative de pêcheurs
de Havre-aux-Maisons.
(Coll. Musée de la Mer)

Une économie encore tournée vers les Maritimes

La naissance du mouvement coopératif a peu d'incidence sur l'organisation des pêches et la transformation des produits avant la Deuxième Guerre mondiale. Il en va de même du côté de l'agriculture où seule une fraction dérisoire de la production entre dans le circuit commercial. Comme le crédit s'est tari, c'est la création d'un instrument pouvant financer tout le réseau coopératif qui a d'abord la priorité chez les propagandistes de la coopération. Dans l'après-guerre, la mise sur pied d'une Coopérative centrale consacre le regroupement des forces coopératives à l'échelle de l'archipel. D'ailleurs, les problèmes de transport maritime et d'électrification requièrent aussi des solutions qui dépassent le niveau local.

Après une période creuse, une certaine reprise se manifeste et, au milieu des années 1930, la pêche retrouve son rôle moteur dans l'activité économique de l'archipel. En 1936, les Îles-de-la-Madeleine accaparent le quart des pêcheries maritimes

Des Madeliniennes à l'ouvrage dans l'usine de filetage de la *Gorton Pew* à Cap-aux-Meules dans les années 1950.
(Coll. Musée de la Mer)

du Québec ; on y capture 90 % du maquereau et 88 % du homard québécois. Le homard assure les deux tiers de la valeur des expéditions et sa mise en conserve fournit de l'emploi à des centaines de Madelinots des deux sexes. En 1937, quelque 674 ouvriers et ouvrières travaillent en saison dans les conserveries de homard, de palourdes, et dans les fumoirs à hareng. Déjà, les deux usines de la Coopérative de pêcheurs du Havre aux Maisons et celle de Gros-Cap emploient 160 personnes, mais la majeure partie de l'industrie de transformation demeure la propriété des marchands locaux au service des grossistes de Halifax.

Avec le déclenchement du second conflit mondial, la demande grimpe. Grâce à la concurrence offerte par les coopératives, la remontée des marchés se traduit dans les prix offerts aux pêcheurs pour leurs prises. Comme les coopératives de pêcheurs prouvent sans conteste leur utilité, tous veulent en faire partie et, en 1943, sept associations de pêcheurs opèrent de la Grande Entrée au Havre Aubert. Dans l'après-guerre, l'industrie des pêches s'engage dans un long processus de modernisation, alors que les espèces déjà exploitées au XIXe siècle, la morue, le homard et le hareng trouvent de nouveaux marchés. Déjà, toutefois, au cours des années 1950, il apparaît évident que les coopératives ne peuvent supporter les énormes investissements désormais requis pour la nouvelle pêche industrielle.

Au milieu du XXe siècle, toute la filière commerciale des produits de la mer s'adapte aux goûts de la triomphante classe moyenne nord-américaine, friande de produits frais ou congelés, pour qui la morue séchée, le maquereau salé et le hareng fumé ne sont bons qu'à l'exportation vers les pays pauvres. C'est la compagnie américaine *Gorton Pew* qui introduit aux Îles la transformation du poisson de fond. Elle ouvre une usine à Cap-aux-Meules en 1952, puis une autre à Havre-Aubert en 1958, des installations où travaillent 200 insulaires à la préparation de filets de morue congelés. La Coopérative centrale doit suivre le mouvement de modernisation et elle choisit de concentrer le traitement du poisson de fond à son usine de L'Étang-du-Nord. Cette nouvelle façon de traiter les produits marins amène la polarisation de l'activité dans les havres où sont construites les

unités de filetage et de congélation de la morue et de transformation du hareng en farine.

Pour approvisionner les nouvelles usines à gros débit, les
pêcheurs doivent désormais fournir de façon régulière un fort
volume de matière première. En 1960, des pêcheurs indépen-
dants, la Coopérative centrale et la *Gorton Pew* exploitent déjà
une quinzaine de petits chalutiers, un nouveau type de bateaux
qui pêchent plus loin à l'aide d'un chalut, un filet en forme
d'entonnoir qui ramasse indifféremment toutes les espèces de
fond. L'efficacité de la nouvelle méthode est bientôt prouvée,
car les 7 300 tonnes métriques de morue capturée par les pê-
cheurs madeliniens, en 1958, représentent un sommet historique. En parallèle, les années 1950 sont marquées par la disparition graduelle des conserveries de homard, le crustacé étant de
plus en plus expédié vivant sur le continent.

La crise des années 1930 n'a pas les mêmes répercussions
aux Îles que dans le reste du Québec. Sur le continent, la colonisation de nouveaux espaces pour établir les familles frappées
par la misère est une des solutions trouvées par Québec et
Ottawa pour faire face à la montée du chômage. Les Îles-de-
la-Madeleine ne disposent plus, depuis fort longtemps, de terres
à coloniser, et ne peuvent ainsi profiter de toutes ces primes à
l'établissement. Il n'y a donc pas de « colonisation dirigée », mais
plutôt un mouvement naturel d'installation de ces jeunes ménages qui seraient partis vers le continent avant 1930. Cette
colonisation par défaut accélère le morcellement des petites
exploitations déjà pourtant bien exiguës. D'ailleurs, l'ajout de
plus de 200 fermes entre 1930 et 1936 ne contribue guère à
améliorer l'autosuffisance alimentaire de l'archipel.

Et pourtant, il est possible de faire de l'agriculture une activité rentable aux Îles, les sœurs de la Charité, lauréates de la
médaille d'argent du concours du Mérite agricole en 1949, l'ont
bien prouvé. Pour fournir les principaux produits alimentaires
consommés à leur hôpital de Cap-aux-Meules, elles améliorent
leur exploitation qui n'a rien à envier aux plus belles fermes de
la vallée du Saint-Laurent. Une vaste grange-étable flanquée
d'un silo abrite une cinquantaine de vaches laitières et de bovins

CARTE 4.1
Le morcellement des terres sur l'île du Cap aux Meules

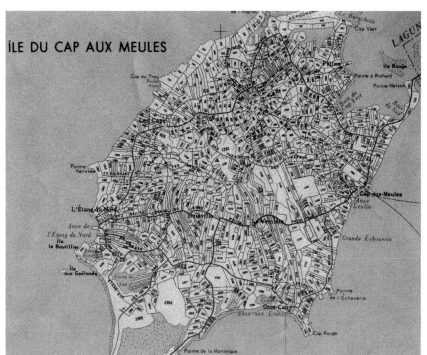

de boucherie, la production de luzerne, de trèfle et de céréales suffit à hiverner un important cheptel, et le grand potager et la basse-cour fournissent aussi la cuisine de l'hôpital. Qu'importe, ce succès a plutôt valeur d'exception sur l'archipel. La superficie en culture décroît, il y a de moins en moins d'animaux de ferme, et les chevaux sont peu à peu remplacés par les camions et les automobiles sur les routes des Îles.

En fait, malgré une certaine amélioration des services et des infrastructures de transport aux Îles-de-la-Madeleine, l'archipel s'avère incapable d'accompagner la véritable révolution qui survient dans le déplacement des personnes et des marchandises à la même époque sur le continent. La liaison Pictou–les Îles est effectuée par le vieillissant *Lovat* de 1924 à 1960, les

quais ne sont pas accessibles de longs mois et par gros temps, et les avions doivent atterrir sur les plages. Les tardifs investissements dans le réseau routier, dans les années 1950, ne permettent pas encore de combler l'écart avec le continent. En 1961, moins du quart des familles insulaires possèdent une automobile contre 57 % des ménages québécois.

La naissance de la Coopérative de transport maritime et aérien (CTMA) est reliée, à la fois, à la reprise de l'économie des pêches, au succès de la formule coopérative et à la volonté des Madelinots de s'affranchir des monopoles de la *Lovat Shipping Co.* vers la Nouvelle-Écosse et de la *Clarke Steamship Co.* vers

Le *Lovat* arrive au quai de Cap-aux-Meules. (Coll. Musée de la Mer)

Québec et Montréal. Entre 1945 et 1958, la CTMA met en opération des caboteurs d'un tonnage croissant. Le *Brion*, un cargo en acier de 520 tonnes, lui permet de concurrencer les armateurs privés sur un pied d'égalité. Mais la coopérative de transport n'utilisera jamais le dernier élément de son appellation. De 1927 à 1960, ce sont les avions de la *Trans-Continental Airways*, de la *Canadian Airways*, puis de la *Maritime Central Airways* qui assurent le transport du courrier, puis des passagers, depuis les plages du Havre Aubert et du Cap aux Meules vers Charlottetown et Moncton.

Dans les années 1950, le réseau routier de l'archipel adopte la forme que l'on lui connaît encore aujourd'hui. Les ingénieurs du ministère provincial de la Voirie décident de réunir les dunes du Nord et du Sud par une jetée et un pont sous lequel les eaux des lagunes du Havre aux Maisons et de la Grande Entrée vont continuer à se mêler. Au sud, par contre, l'adoption du tracé entre les îles du Cap aux Meules et du Havre Aubert aura comme conséquence de fermer de façon définitive la lagune du Havre aux Basques. Ce choix d'une route qui longe la baie de Plaisance pour relier les deux plus grandes îles de l'archipel est aussi subordonné à la nécessité d'acheminer de façon sécuritaire l'électricité produite à l'usine de Cap-aux-Meules.

Un DC-3 de la *Maritime Central Airways* décharge le courrier et le fret à Fatima, en 1948.
(Coll. Musée de la Mer)

En 1953, les Madelinots en sont encore à la lampe à l'huile.
L'énergie électrique est alors disponible dans les coins les plus
reculés des pays développés et les insulaires ont l'impression de
vivre à l'écart du monde moderne. L'électrification du Québec
urbain a été laissée à des compagnies privées qui ont offert un
service régional en harnachant un cours d'eau. Comme les Îles
sont dépourvues de chute d'eau, aucun entrepreneur ne pouvait
espérer rentabiliser une centrale thermique avec une aussi faible clientèle dispersée. L'État devait s'impliquer. Il le fera, tardi-
vement, par l'intermédiaire de l'Office de l'électrification rurale (O.E.R.). L'Office, formé en 1945, crée des coopératives
rurales de distribution financées par des subventions et des parts
sociales vendues aux futurs clients.

Inauguration de la centrale de la Coopérative d'électricité des Îles-de-la-
Madeleine, le 6 décembre 1953. Ovide Hubert est au micro.
(Coll. Musée de la Mer)

Aux Îles, toutefois, l'O.E.R. fait face à un problème : il n'y a pas de producteur privé à qui la coopérative pourrait acheter l'énergie. La Coopérative d'électricité des Îles est formée en mars 1952. Grâce à un prêt de l'O.E.R., elle construit une centrale dont les génératrices sont entraînées par des diesels et entreprend la pose de centaines de poteaux d'un bout à l'autre de l'archipel. En quelques années, toutes les îles habitées, à l'exception de l'île d'Entrée, sont reliées à son réseau. La course à l'électroménager est désormais lancée et, en 1961, ce qui différencie le plus la maison des Îles de celle du continent, c'est le téléviseur, présent dans à peine 20 % des foyers contre 89 % dans le Québec continental. C'est moins le coût du nouvel appareil qui explique ce retard que le fait que la boîte à images ne parle encore qu'en anglais.

Faire sa vie aux Îles

Du recensement de 1931 à celui de 1961, le nombre d'insulaires passe de 7 942 à 12 479. L'archipel conserve près de 60 % de son accroissement naturel, mais le bilan migratoire négatif prive l'archipel de 3 200 des siens au cours de ces trente années. Le mouvement d'émigration n'est pas constant, car il semble que 1945 constitue une année charnière. Avant cette date, la misère de l'interminable crise, puis l'attrait des usines de matériel de guerre poussent vers le continent de forts contingents de Madelinots. Après la guerre, un nombre croissant de jeunes insulaires décident de fonder un foyer et de faire leur vie sur l'archipel, une décision qui survient souvent après quelques années de travail saisonnier au Québec et au Labrador terre-neuvien. En 15 ans, quelque 300 nouvelles familles s'ajoutent et le parc immobilier se renouvelle. Près de la moitié des logements recensés en 1961 datent de l'après-guerre.

Un mouvement de fond transforme le monde du travail aux Îles, surtout au cours des années 1950. Dans la décennie de 1930, plus de 80 % des familles tiraient leurs revenus de la pêche, de la transformation des produits de la mer et du travail hivernal dans les chantiers forestiers. En 1961, à peine un millier de travailleurs se déclarent pêcheurs, agriculteurs ou bûcherons, ce qui représente moins du tiers des 3 360 emplois dénombrés sur l'archipel. Les années 1950 sont aussi celles où le nombre de travailleurs migrants atteint un sommet. Les Madelinots ne fréquentent plus seulement les camps forestiers de la Côte-Nord. Désormais, ils y travaillent aussi dans les mines, construisent des routes et des barrages, des édifices de tout genre, dans cette région en plein *boom* économique. Ils en ramènent les moyens de s'installer définitivement aux Îles.

La transformation de l'économie des pêches, l'avènement des premières manifestations de la société de consommation et la multiplication des services publics et privés amènent une nouvelle répartition des Madelinots sur leur archipel. La modernisation du réseau routier, qui place l'île du Cap aux Meules à moins d'une heure de distance de la plupart des Madelinots, favorise désormais son peuplement. Plus de la moitié des nouveaux ménages s'y installent dans les années 1950 et sa population s'accroît de 3 312 à 5 739 de 1931 à 1961, ce qui force la création de nouvelles entités municipales, celle du village de Cap-aux-Meules et celle de Fatima. Cette dernière devient, dès sa fondation, la localité la plus populeuse de l'archipel, avec 2 600 résidants.

En 1960, cela fait déjà plus d'un siècle que la croissance du nombre de Madelinots ne provient que de leurs propres excédents naturels. Les meilleures périodes sont celles au cours desquelles l'économie de l'archipel est assez dynamique pour retenir une bonne proportion de ces surplus. Durant les années 1950, deux facteurs s'additionnent pour accélérer le peuplement des Îles. En premier lieu, la forte baisse du taux de mortalité, surtout celui des enfants, conjuguée avec les effets du *baby-boom*, visibles sur l'archipel comme dans le reste de l'Amérique du Nord, permet à la population insulaire de dégager les plus forts excédents naturels de son histoire. En deuxième lieu, l'électrification, l'amélioration des soins de santé et la multiplication des occasions d'emploi rendent l'archipel plus accueillant pour les jeunes ménages désireux de rester sur leur terre natale.

Toutefois, les Îles-de-la-Madeleine, comme toutes les régions dont l'économie est basée sur l'exploitation des ressources naturelles, souffrent d'un déséquilibre structurel. Elles ont peu d'emplois à offrir aux centaines de jeunes filles sorties de l'école et non encore mariées. Les femmes y demeurent limitées aux même

Comme le homard est expédié vivant, de façon croissante, sur les marchés extérieurs, l'emploi dans les conserveries de l'archipel diminue dans l'après-guerre.
(Coll. Musée de la Mer)

choix que leurs grands-mères au XIXe siècle : maîtresse d'école, domestique ou employée saisonnière d'usine de transformation de poisson. Les filles et les jeunes femmes quittent donc l'archipel plus tôt et en plus grand nombre que les garçons et plus souvent de façon définitive, ce qui affecte la pyramide des âges et des sexes. En 1961, on ne compte que 100 filles pour 117 garçons parmi les 15 à 25 ans. Cependant, les jeunes femmes qui décident dans les années 1950 de fonder un foyer aux Îles auront beaucoup plus d'enfants que les autres mères du Québec ; le sommet des naissances est atteint en 1959 sur l'archipel, douze années après le record québécois.

En général, la conjoncture est moins favorable pour les anglophones des Îles qui ne parviennent pas à maintenir leur faible proportion de la population au fil des décennies. Ils comptent pour près de 13 % du total des Madelinots en 1880, 10 % en 1920, 8 % en 1950, et l'érosion va se poursuivre jusqu'à nos jours. La réorientation de l'économie madelinienne, qui s'éloigne de celle de la Nouvelle-Écosse pour s'intégrer à celle du Québec, est en grande partie responsable de cette marginalisation de l'élément anglophone aux Îles. Les nouvelles institutions qui vont naître dans le sillage de la Révolution tranquille laissent peu de place aux petites communautés anglophones isolées.

Les communautés religieuses et l'éducation

Avant 1946, année du transfert des paroisses catholiques des Îles du diocèse de Charlottetown à celui de Gaspé, le rôle de l'Église sur l'archipel y est plus discret que sur le continent. La différence majeure tient à la très faible présence des communautés religieuses aux Îles comparativement au Québec, où, au milieu du XXe siècle, une véritable armée de 44 000 prêtres séculiers et de membres de communautés de femmes et d'hommes assument une large part des responsabilités collectives dans l'éducation, les soins de santé et la charité organisée. Or, pendant leur long contrôle sur l'archipel, les évêques d'origine irlandaise du diocèse de Charlottetown s'étaient montrés réfractaires à la venue aux Îles de ces communautés religieuses du Québec aux effectifs pourtant bien garnis.

En 1930, les Îles-de-la-Madeleine n'ont qu'une dizaine de prêtres et de religieuses au service de 7 200 fidèles catholiques, un encadrement six ou sept fois inférieur à celui du Québec continental. On n'y trouve qu'une seule institution tenue par des religieuses, le couvent de Havre-aux-Maisons. Une deuxième communauté de religieuses arrive en 1938 pour prendre en charge l'hôpital de Cap-aux-Meules, celle des sœurs de la Charité de Québec. Mais ce n'est qu'après le rattachement au diocèse de Gaspé que le rattrapage s'amorce véritablement. La congrégation de Notre-Dame, déjà active sur l'archipel depuis 1877, reçoit bientôt les renforts des membres de l'Institut séculier des oblates de Marie-Immaculée, des filles de Marie de l'Assomption, puis des frères du Sacré-Cœur. En 1955, une première paroisse est confiée à des prêtres séculiers quand les pères Maristes s'installent à Fatima. Six communautés de femmes et d'hommes sont alors à l'œuvre aux Îles.

Le congrès des vocations à Cap-aux-Meules en 1948. Mgr Robichaud et Mgr Leblanc avec les religieuses des Îles, au reposoir, près du presbytère de La Vernière.
(Coll. Musée de la Mer)

L'arrivée de tout ce nouveau personnel religieux permet au clergé des Îles d'assumer l'ensemble de ses missions pastorales, éducatives et hospitalières. La création des paroisses de Notre-Dame-de-Fatima, en 1948, et de Saint-André-de-Cap-aux-Meules, en 1960, rapproche les lieux de culte des nouvelles concentrations de fidèles. C'est toutefois le monde de l'éducation qui profite le plus des nouveaux effectifs religieux. Au cours des années 1950, les commissions scolaires peuvent construire six écoles centrales à plusieurs classes et niveaux multiples dotées de logement pour les religieuses et religieux qui y travaillent. L'offre de cours s'étend à la majorité des jeunes insulaires francophones jusqu'à la 10ᵉ année. Le couvent de Havre-aux-Maisons, élevé au statut d'école normale depuis 1938, continue à former les jeunes Madeliniennes, qui vont tenir la classe unique des petites écoles primaires semées dans tous les cantons de l'archipel.

La loi de l'instruction obligatoire de 1943 a des retombées bénéfiques et durables sur la fréquentation scolaire aux Îles. En peu de temps, le bagage moyen de scolarité des jeunes Madelinots passe de quatre à six années et un nombre croissant de parents s'efforcent de garder à l'école leurs enfants après l'âge obligatoire de 14 ans. En 1960, quelque 600 étudiants sont inscrits au cours secondaire dans les écoles centrales. La forte croissance du nombre de jeunes Madelinots et leur persévérance accrue amènent une explosion des dépenses qui font plonger, à la fin des années 1950, les commissions scolaires dans l'encre rouge des déficits récurrents. Les administrations scolaires doivent pressurer leurs contribuables locaux pour faire face aux coûts engendrés par leur personnel de plus d'une centaine d'institutrices, de religieux et de religieuses, l'entretien d'une dizaine d'édifices et le transport scolaire naissant.

Malgré cet épineux problème de financement qui ne sera résolu qu'avec la création du ministère de l'Éducation, dans les années 1960, les progrès de l'instruction publique aux Îles dans l'après-guerre sont remarquables. En moins de quinze ans, l'objectif de simple alphabétisation a fait place à un véritable projet éducatif, celui de fournir à l'économie locale une main-d'œuvre capable d'accéder aux nouveaux emplois qui s'ouvrent dans l'administration, le commerce et la finance, la fonction publique, l'enseignement et les soins de santé. En 1961, ces domaines offrent déjà 700 emplois aux Îles, des postes partagés à parts égales entre hommes et femmes. La modernisation de l'économie et de la société madelinienne est déjà en train.

Les soins de santé, une responsabilité québécoise

La véritable révolution survenue dans le monde de l'éducation aux Îles-de-la-Madeleine au cours des années 1950 a été précédée par une autre dans la décennie 1930, celle des soins de santé. Les premiers dispensaires de l'unité sanitaire et de la Croix-Rouge ouvrent leurs portes et un hôpital général moderne reçoit ses premiers patients. C'est la dégradation plus marquée aux Îles que sur le continent de la santé publique, durant la Crise, qui provoque cette salutaire intervention du gouvernement provincial. Les autorités de la santé publique du Québec sont alors alarmées par la prévalence de certaines affections mortelles causées par la pauvreté et les conditions d'hygiène déplorables sur l'archipel. La tuberculose y sévit avec deux ou trois fois plus de virulence que dans les autres comtés ruraux du Québec et la mortalité infantile recule beaucoup moins rapidement que sur le continent.

L'hôpital Notre-Dame-de-la-Garde, le plus gros édifice de l'archipel.
(Coll. Musée de la Mer)

En 1937, le nouveau gouvernement de l'Union nationale entreprend le plus important projet de la province de Québec aux Îles depuis la Confédération, la construction de l'hôpital Notre-Dame-de-la-Garde. L'imposant édifice de béton, de brique et d'acier compte 70 lits, dont un tiers est réservé aux tuberculeux. L'administration de l'établissement est confiée aux sœurs de la Charité de Québec. Trois ans après son ouverture, l'hôpital fonctionne avec un personnel de huit religieuses, un médecin, deux infirmières, quatre aides-soignantes et quatorze employées de soutien. Paradoxalement, l'archipel se voit doté, grâce à son isolement, d'une institution qui fait l'envie de tous ces comtés ruraux beaucoup plus peuplés et encore dénués d'établissement hospitalier.

Avant même la construction de l'hôpital, le gouvernement du Québec s'était impliqué dans la santé publique en séparant l'unité sanitaire des Îles du district de Gaspé, et en prenant le contrôle des dispensaires municipaux de Havre-aux-Maisons et de Havre-Aubert. Du côté anglophone, c'est la Croix-Rouge canadienne qui s'implante, d'abord à Grosse-Île en 1929, puis à Grande-Entrée (1937) et à l'île d'Entrée (1946). Le travail de prévention et d'intervention de première ligne exercé par les infirmières des dispensaires, les soins curatifs et l'isolement des tuberculeux portent leurs fruits au cours des années 1940 et 1950. Durant cette période, l'amélioration des soins de santé et l'électrification sont sûrement les deux principaux facteurs qui incitent un si grand nombre de couples à faire leur vie sur l'archipel.

La démocratie en marche

La présence du gouvernement provincial se renforce aux Îles durant les années 1930 à 1960 à mesure que les autorités du Québec y occupent les champs de responsabilité que le pacte confédératif leur a laissés. La plupart de ces interventions surviennent sous le règne du député unioniste Hormidas Langlais, un Bas-Laurentien qui représente le comté des Îles-de-la-Madeleine de 1936 à 1962. Ses organisateurs politiques et ses partisans ont tôt fait de lui attribuer tous les mérites des investissements du gouvernement québécois, alors qu'on pourrait autant y voir des retombées locales de politiques nationales. La construction de l'hôpital de Cap-aux-Meules doit être vue dans la perspective de la lutte provinciale contre la tuberculose, la multiplication des écoles centrales découle de la loi de l'instruction obligatoire, et l'électrification des Îles est réalisée dans le cadre du programme provincial d'électrification rurale. Cependant, la réputation de bâtisseur que le député Langlais a laissée aux Îles demeure méritée.

À mesure que le gouvernement provincial augmente ses investissements dans les domaines de l'éducation, de la santé, de la voirie et de l'énergie, la présence du fédéral se fait plus discrète, car ses champs traditionnels d'intervention par

Le premier ministre Maurice Duplessis (en chapeau blanc) visite le laboratoire marin de Gros-Cap. On reconnaît, à sa droite, le député des Îles, Hormidas Langlais et, à l'extrême droite de la photo, l'inspecteur d'écoles Ovide Hubert.
(Coll. Musée de la Mer)

l'entremise des ministères des Postes, des Travaux publics, de la Marine et des Pêcheries perdent de leur importance relative. Graduellement, toutefois, grâce à ses politiques de transfert aux familles et aux individus, Ottawa regagne un rôle certain dans l'économie insulaire. Les Madelinots reçoivent avec étonnement les premières prestations de la pension de vieillesse en 1936, et les premiers chèques d'allocations familiales en 1945. Mais c'est à coup sûr l'élargissement du programme d'assurance-chômage aux travailleurs saisonniers qui constitue le principal facteur de changement social et économique de la dernière moitié du XXe siècle.

Les Îles-de-la-Madeleine restent largement à l'écart des événements qui marquent ce qu'il est désormais convenu d'appeler « la bataille du Saint-Laurent », quand des sous-marins allemands s'attaquent au trafic maritime dans le golfe et l'estuaire du Saint-Laurent, de 1942 à 1944. Les Îles ne sont guère fréquentées que par des navires de faible tonnage et ont peu de cibles à offrir aux torpilles ennemies. Tout comme au cours du premier conflit mondial, les Madelinots, ce peuple de marins, fourniront pourtant surtout des fantassins aux Forces canadiennes. Cette fois-ci, les francophones rejoignent plus volontiers les troupes expéditionnaires. Du côté des anglophones, on assiste à une véritable levée en masse, car les deux tiers de la population masculine en âge de servir rejoignent la marine marchande et les forces armées. Parmi ceux qui intègrent le régiment *Royal Rifles of Canada*, les pertes seront très sévères (voir l'encadré).

Les rares élections fédérales et provinciales ne constituent plus que des occasions qu'ont les Madelinots d'exercer leur droit de vote. Désormais, l'heure est à la participation du plus grand nombre aux décisions qui concernent la vie de tous les jours avec la multiplication des organismes démocratiques. Il faut élire huit conseils municipaux et autant de conseils scolaires, et les administrateurs d'une vingtaine de coopératives de production, de consommation, de service et de crédit. Les réunions mensuelles ou annuelles des organisations démocratiques rassemblent, à un endroit ou à un autre de l'archipel, la majeure partie de la population adulte, et la participation aux assemblées

Les Madelinots à Hong Kong

Quand la menace de l'entrée en guerre du Japon se précise, à l'automne 1941, le gouvernement britannique décide de renforcer sa présence militaire dans sa colonie de Hong Kong. Il demande alors au Canada de fournir un ou deux bataillons à cette fin. Partis de Vancouver, les soldats du *Winnipeg Grenadiers* et des *Royal Rifles of Canada*, qui comprend de nombreux Madelinots, débarquent à Hong Kong le 16 novembre. En même temps qu'elles attaquent Pearl Harbor, le 7 décembre 1941, les troupes japonaises partent à l'assaut des colonies britanniques, américaines et hollandaises d'Asie. Les volontaires madeliniens se retrouvent donc dans le premier contingent de l'Armée canadienne engagé au combat au cours de la Deuxième Guerre mondiale.

Les soldats canadiens, anglais, indiens et les recrues locales résistent autant qu'ils le peuvent aux forces japonaises supérieures en nombre et aguerries par des années de combats en Chine. Les violents affrontements se poursuivent pendant dix-huit jours, mais, dans l'après-midi de Noël, le gouverneur de Hong Kong fait hisser le drapeau blanc. Les pertes canadiennes sont sévères : 290 morts et près de 500 blessés. Pour les survivants, la reddition signifie le début d'un long calvaire de quatre années dans les camps de prisonniers de Hong Kong, puis du Japon. À la fin des hostilités, en septembre 1945, les Canadiens libérés sont rapatriés ; des 1 975 soldats partis de Vancouver en 1941, 557 ne reviendront pas. Ils reposent, pour la plupart, dans les cimetières militaires de Saïwan Bay, à Hong Kong, et à Yokohama, au Japon. Parmi eux, on compte 11 engagés volontaires madeliniens :

Deighton Aitkens	Lauréat Vigneault
Edward Carlton Aitkens	Allen Benjamin Welsh
John Maxwell Chenell	James Stanford Welsh
Albert Benjamin Chenell	Melvin Burton Welsh
William Radley Chenell	William Delbert Louis Welsh
Antoine Joseph Delaney	

Sources : Lt-Col. D.J. Goodspeed, *Les forces armées du Canada. Un siècle de grandes réalisations*, Ottawa, Direction des services historiques, 1967, p. 116-118 ; Connie Clarke Boudreault et Chantal Bouffard, *Deuxième Guerre mondiale, 1939-1945*. Album souvenir, Cap-aux-Meules, Légion Royale Canadienne, 1995, p. 13-17.

municipales, scolaires et coopératives donne au plus humble pêcheur un accès direct à ses élus.

La dynamique sociale se transforme au cours des années 1940 et 1950 à mesure que les Madelinots d'origine acadienne accaparent une fraction croissante des postes de décision et de pouvoir dans l'économie et la société des Îles. Avec le mouvement coopératif, ils contrôlent les trois quarts de la consommation, la production et la distribution d'électricité, la majeure partie du crédit aux particuliers et de l'épargne. Les francophones s'approprient presque tous les postes de direction et de gérance, mais l'appartenance au parti de l'Union nationale constitue souvent le préalable pour y accéder. D'ailleurs, le patronage fait partie des mœurs de l'ère duplessiste et le principal avantage que procure un poste de responsabilité demeure celui de fournir du travail aux parents et aux amis.

Pour une large part, toutefois, le pouvoir reste hors de portée des Madeliniennes, mêmes si elles ont hérité du droit de vote avec les autres Canadiennes en 1918 et les autres Québécoises

Stèles commémoratives des 23 soldats des Îles tombés au champ d'honneur durant la Seconde Guerre mondiale (Old Harry).
(Photo Normand Perron)

en 1940. On n'en voit aucune à ces postes électifs pourtant nombreux au conseil municipal ou scolaire, à l'administration ou à la gérance des coopératives. Leur niveau d'instruction n'est pas en cause, car elles sont largement majoritaires parmi les insulaires qui possèdent plus de cinq années d'éducation secondaire en 1960. La mystique de la femme au foyer est aussi forte aux Îles que dans le reste du Québec, et le monde du travail y confine les femmes instruites dans ces domaines qui sont vus comme un prolongement du travail domestique des mères et des épouses, les soins de santé et l'éducation des enfants.

La consommation et les médias

Il est incontestable que les années 1945 à 1960 représentent pour les Madelinots une période de progrès sous presque tous les rapports. Si le retard avec le reste du Québec se maintient, c'est que l'enrichissement collectif des sociétés nord-américaines se poursuit à un rythme effréné. L'après-guerre voit la naissance de la société de consommation et du crédit facile, de l'économie des services et de la banlieue, en même temps que se tissent les mailles du filet social, un premier pas vers l'établissement du futur État-providence. Dans la course au confort et à la sécurité du revenu, les Madelinots partent avec un tel retard que le rattrapage des années 1950 tarde à porter ses fruits. En juin 1961, le territoire des Îles-de-la-Madeleine occupe le dernier rang des 239 districts de recensement du pays en ce qui a trait au revenu d'emploi moyen.

Dans le Québec et les Maritimes, la nouvelle aisance matérielle se manifeste avec l'eau courante et l'eau chaude à volonté, la cuisinière et la « fournaise » à l'huile ou au gaz, la glacière puis le réfrigérateur, l'automobile et le téléviseur enfin. Comme une large part des éléments du confort moderne fonctionne à l'électricité, certaines commodités très répandues sur le continent, comme l'aspirateur et le réfrigérateur, l'ampoule et le chauffe-eau électriques, sont inconnues sur l'archipel avant 1954. De plus, l'absence d'électricité n'explique pas tout l'inconfort de la résidence des Madelinots. En 1951, seul un logement sur trois dispose d'un service d'eau intérieur, un sur sept d'une toilette avec chasse d'eau. La fournaise est aussi absente et l'unique source de chauffage vient du poêle qui sert aussi à la cuisson des aliments.

Au cours des années 1950, l'amélioration de l'économie insulaire, les transferts provenant du gros contingent des travailleurs migrants et les premières politiques gouvernementales de soutien du revenu permettent aux Madelinots d'équiper le foyer qui constitue leur principal actif financier. En 1960, les trois quarts des logements disposent d'un brûleur à l'huile, toutes les pièces sont éclairées à l'électricité et le réfrigérateur trône dans bien des cuisines. De nouveaux commerces sont apparus dans la vente de meubles et d'électroménagers, dans les produits et services aux automobilistes, dans la distribution de produits pétroliers. Dans les années 1950, la valeur des ventes au détail double et les premières institutions qui offrent le crédit à la consommation ont pignon sur rue.

L'avènement des médias de masse survient aux Îles avec encore plus de retard que la société de consommation. Le Québec et les Maritimes vivent alors, depuis la fin du XIXe siècle, leur plus importante révolution culturelle grâce à l'introduction progressive des médias de masse. La presse quotidienne à grand tirage pénètre dans la plupart des foyers avant 1914, le cinéma se répand dans les campagnes au cours des années 1920, la radio se démocratise dans les décennies 1930 et 1940 et le téléviseur est présent dans la plupart des salons en 1960. En fait, au milieu du XXe siècle, les insulaires possèdent largement un seul objet qui témoigne de la modernité nord-américaine, le récepteur de radio, à piles, vu l'absence de service d'électricité, qui leur permet d'être témoins de l'enrichissement des provinces voisines.

Dès le premier conflit mondial, la majorité des foyers du Québec reçoivent des nouvelles quotidiennes du front grâce aux journaux à grand tirage comme *La Presse*, *Le Soleil* ou *Le Devoir*. Aux Îles, les coûts d'abonnement et les frais postaux restreignent la distribution des grands quotidiens nationaux à quelques familles aisées, le navire postal ne vient qu'une fois par semaine durant la saison de navigation et les communications avec l'extérieur dépendent du télégraphe quand l'archipel est isolé par les glaces. D'ailleurs, la naissance de la presse locale est reliée à la station de télégraphie sans fil, dont l'opérateur sort une feuille d'information hebdomadaire hivernale depuis 1915. Joseph LeBourdais va publier son *Bulletin des Îles de la Madeleine* jusqu'aux années 1930. À cette date, la poste aérienne hivernale et la radio de langue anglaise peuvent prendre le relais.

Comme dans beaucoup de secteurs de l'activité humaine aux Îles durant cette période, la presse locale profite de l'effervescence du mouvement coopératif. Berthe Vignault, secrétaire du Centre social des Îles, un regroupement de bénévoles mis sur pied pour promouvoir l'éducation sociale et culturelle des Madelinots francophones, assume la survie du journal *Le Phare*, de 1945 à 1950. La disparition de ce premier véritable organe d'information périodique laisse un vide que le Centre social va combler en publiant *La Boussole*, de 1953 à 1962, un bimensuel où se mêlent informations locales et chroniques éducatives. À la veille de la Révolution tranquille, les Madelinots sont toutefois encore largement privés de la plupart des produits culturels offerts à tous les continentaux.

5

L'archipel, terre d'accueil, 1960-2004

Depuis 1960, les Îles-de-la-Madeleine se démarquent dans l'histoire des régions québécoises qui vivent surtout de l'exploitation de leurs ressources naturelles. Pour contrer le déclin généralisé de ces régions dans l'est du pays, les élites locales, appuyées par les gouvernements fédéral et provinciaux, tentent de diversifier leur économie et de développer la transformation de leurs produits. Cette dernière stratégie est souvent conduite à l'échec par l'épuisement des ressources. Paradoxalement, l'économie insulaire tire son épingle du jeu en se concentrant sur l'exploitation de sa ressource traditionnelle, le homard, un produit qu'elle transforme de moins en moins. En parallèle, les Madelinots découvrent à quel point leur archipel est un endroit où il fait bon vivre. Dès lors, ils se donnent les moyens d'attirer et de retenir les visiteurs en transformant de façon complète les infrastructures de transport et d'accueil.

L'intégration au Québec

Les Îles-de-la-Madeleine connaissent une profonde transformation dans les années qui précèdent et suivent 1970. Le retard qui persiste dans bien des aspects de la vie économique et sociale est comblé de façon accélérée aux Îles, à tel point que l'écart entre le niveau de vie du jeune couple qui se forme en 1975 n'a plus rien à voir avec celui de ses parents unis en 1950. Quelques expressions consacrées par l'usage et l'adoption de politiques étatiques universelles expliquent, pour une large part, le fossé : enrichissement collectif et société de consommation, Révolution tranquille et État-providence, démocratisation de l'enseignement et gratuité des soins de santé, nationalisation de l'électricité et tertiarisation de l'économie.

L'État devient au cours de cette période présent dans presque tous les aspects de la vie quotidienne. Le gouvernement fédéral tente, grâce à ses revenus en forte croissance, d'atténuer les disparités de développement économique entre les diverses régions du pays, notamment en rendant de plus en plus généreuse sa politique d'assurance-chômage pour les travailleurs saisonniers. Le gouvernement provincial adopte, quant à lui, des politiques permettant l'accès de tous ses citoyens à des services jugés essentiels comme l'éducation, les soins de santé, l'électricité ou un revenu minimal de base. L'aspect fondamental de ces politiques tient à leur universalité. Des services de qualité égale doivent être offerts aux Québécois, quel que soit leur lieu de résidence, même si la dispersion ou l'isolement en gonflent les coûts. Pour les Madelinots qui ont attendu un demi-siècle l'électricité, ce principe est primordial.

Dans un tel contexte, le handicap que constitue l'insularité s'en trouve largement atténué. Bien plus, il va parfois s'avérer un atout. Contrairement à tous ces jeunes ruraux du Québec forcés d'aller étudier en ville, les étudiants madeliniens peuvent faire leur cours collégial général sur l'archipel, et la gamme des soins de santé disponibles aux Îles est bien plus large que

dans la plupart des municipalités régionales de comté du Québec. L'isolement relatif oblige aussi les deux paliers de gouvernement à assurer par l'entremise de leurs fonctionnaires un service minimal dans chacun de leurs nombreux champs d'intervention. Une large part des emplois et des salaires dépendent donc aux Îles de la fonction publique et du parapublic, une réalité qui se répercute sur la consommation des biens et des services locaux.

Depuis 1960, la sollicitude de l'État et les hasards de la conjoncture font de l'archipel un des territoires ruraux les plus épargnés par le déclin des régions qui dépendent de l'exploitation des ressources naturelles. Le homard, sa principale richesse, compte parmi les espèces marines les moins touchées par l'effondrement des stocks. Ensuite, le charme indéniable des Îles attire, à la fois, les deux types de voyageurs nés de l'enrichissement collectif des années récentes, le villégiateur féru des longs séjours et le vacancier pressé du tourisme de masse. Enfin, leur appartenance à une grande province aux gouvernements très interventionnistes leur permet de mieux absorber les contrecoups

La natalité, un enjeu ? Jumeaux nés en 1991 posés avec leurs parents.
(Centre d'archives des Îles-de-la-Madeleine, Fonds du journal *Le Radar*, 921)

des chocs économiques touchant les provinces de l'Atlantique. En 2004, les Îles sont encore tournées vers l'avenir et la nostalgie y compte peu d'adeptes.

Un endroit où il fait bon vivre

Le dynamisme de l'économie insulaire, la modernisation de ses infrastructures et la mise à niveau des services publics offerts aux Madelinots se répercutent sur l'évolution de la population locale. Les Îles ne vivent pas ce mouvement général d'exode qui frappe les autres régions de l'est du Québec. La Côte-du-Sud voit décroître ses effectifs depuis 1956, le Bas-Saint-Laurent et la Gaspésie depuis 1961, la Côte-Nord depuis 1976. Au contraire, le nombre de Madelinots continue d'augmenter jusqu'en 1986 (figure 5.1). Un autre constat illustre à quel point cette performance est exceptionnelle dans le contexte d'urbanisation et de déclin des régions éloignées au Québec : entre 1971 et 1986, la croissance de la population de l'archipel est supérieure à celle du Québec dans son ensemble.

FIGURE 5.1
La population des Îles-de-la-Madeleine, 1931-2001

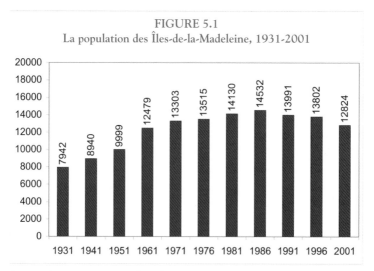

Source : Recensements du Canada.

Si l'archipel réussit à conserver plus de 40 % de son accroissement naturel au cours des 25 années qui précèdent 1986, son bilan migratoire laisse tout de même voir un passif de 2 400 personnes. L'excédent des naissances sur les décès subit un net recul au tournant des années 1960. La baisse de la natalité s'avère à la fois plus tardive et plus brutale aux Îles qu'ailleurs au Québec. Les 445 actes portés aux registres des paroisses de l'archipel en 1959 constituent le sommet historique des naissances ; en 1976, on ne compte plus que 176 nouveaux petits Madelinots. Dès 1961, la pyramide des âges commence à se rétrécir par la base à mesure que se réduit le format des ménages. Le nombre moyen d'enfants par famille passe de 3,3 en 1961 à 1,5 en 1986. La croissance du nombre de jeunes adultes se poursuit cependant, ce qui accentue la pression sur l'école secondaire et le marché du travail.

La concentration des investissements publics et privés sur l'île du Cap aux Meules y fait croître l'emploi de façon beaucoup plus importante que dans le reste de l'archipel. Il s'y produit un phénomène semblable à celui qui survient dans la plupart des régions rurales du Québec. Les nouveaux emplois, surtout offerts aux travailleuses et travailleurs des commerces et des services, se retrouvent dans les étroites frontières du village de Cap-aux-Meules et un nombre accru d'employés demeurent dans les autres localités de l'île, Fatima et L'Étang-du-Nord. En 1986, l'île rassemble 54 % des Madelinots. La mise en exploitation de la mine de sel profite à la Grosse Île, celle du Havre aux Maisons maintient sa population grâce aux va-et-vient quotidiens vers Cap-aux-Meules, alors que les Îles du Havre Aubert, de la Grande Entrée et d'Entrée sont sur le déclin.

Depuis les années 1840, les forts excédents naturels des prolifiques Madelinots avaient permis une croissance de la population insulaire malgré le bilan migratoire négatif. En 1986, la tendance se renverse et, pour la première fois en deux siècles, la population des Îles diminue. Le déclin s'accélère dans les dernières années du XXe siècle. L'archipel avait déjà connu de forts mouvements d'émigration, surtout au cours des deux conflits mondiaux, dont les effets avaient été compensés par la forte croissance naturelle. À compter de 1996, la chute de la natalité se conjugue avec la vague des départs définitifs et les Îles perdent un millier de résidants en l'espace de cinq ans. Toutes les îles sont touchées, même celle du Cap aux Meules n'est pas épargnée.

Ces récents développements se répercutent sur la structure actuelle de la population madelinienne. Les Îles manquent d'enfants. Après un petit rebond issu de l'union des nombreux Madelinots nés dans les années 1950, la natalité chute de nouveau. Les jeunes adultes qui partent étudier sur le continent y trouvent aussi le large éventail des emplois qui conviennent à leur formation. Pour la première fois de leur histoire, les Madelinots sont en majorité dans la force de l'âge. Ces fortes cohortes héritées du *baby-boom* de l'après-guerre occupent aux Îles des milliers d'emplois. Beaucoup, déjà, aspirent à la retraite. Le vieillissement accéléré de sa population représente un nouveau défi pour l'archipel.

L'échec de la diversification des pêches

Pour de nombreuses régions rurales du Québec, l'intégration aux marchés nationaux et internationaux dans la deuxième moitié du XXᵉ siècle constitue un choc. Les Îles-de-

la-Madeleine déjà depuis longtemps familières à ces circuits réussissent, non sans difficulté, le passage à la modernité des échanges. Ces années sont à la fois marquées par le changement et la
continuité. La plus importante transformation concerne ceux
qui vivent de la pêche. Désormais, le pêcheur est un professionnel qui n'a plus à offrir ses services comme journalier sur tous les
chantiers de l'archipel ou du continent. Tout au long des années 1960 à 2004, l'industrie évolue en montagnes russes, avec
des périodes d'expansion et de contraction, de diversification
et d'effondrement des stocks, de forte hausse et de chute des
prix.

Le homard constitue le symbole de la continuité. Au début
du XXIe siècle, le crustacé a conservé la place qui était déjà la
sienne à la fin du XIXe dans l'économie des pêches aux Îles. La
capture, la transformation et la commercialisation de nouvelles
espèces à la charnière des années 1960 et 1970 font chuter, pour
un temps, à moins de 50 % la valeur du homard parmi celles des
expéditions de l'archipel. L'épisode est bref et le précieux crustacé regagne bientôt son rang de produit vedette. En l'an 2000,
sa valeur au débarquement s'élève à 21 millions de dollars, ce
qui représente 69 % de toutes les pêches. Tout comme il y a
maintenant plus de 120 ans, Grande-Entrée demeure le principal

Vue du havre de Grande-Entrée,
depuis 120 ans le premier port homardier du Québec.
(Photo Normand Perron)

port de pêche homardier du Québec, une place confirmée par d'importants travaux d'agrandissement en 2003.

Il n'est pas fréquent au Nouveau Monde qu'une activité économique perpétue des techniques, des savoir-faire et un calendrier pour une large part inchangés depuis quatre générations. Chaque année, pendant neuf semaines, de mai à juillet, au terme de préparatifs fébriles couronnés par une cérémonie d'ouverture, une importante flotte de petits navires sillonne le pourtour des Îles, mouillant environ 100 000 cages à homard dans les « petites eaux » ou les « grandes eaux » côtières, toujours à moins de 20 kilomètres de l'archipel. Une fois débarqué, le homard connaît un sort bien différent d'il y a un siècle alors que tous les crustacés étaient bouillis et mis en conserve. Entassé dans les camions réfrigérés qui embarquent sur le traversier, le homard vivant rejoint les marchés du continent.

Dans un contexte général d'épuisement des ressources de la mer, l'histoire de la gestion de la pêche au homard aux Îles a valeur d'exemple. Au fil des décennies, le rapport souvent conflictuel entre l'État gestionnaire de la ressource et les pêcheurs et transformateurs a fait place à un climat de collaboration. La baisse soudaine des rendements de 1968 à 1972 en fournit l'illustration. À partir de 1973, le nombre de bateaux, qui a parfois dépassé les 400, est graduellement abaissé à 325, pour éliminer les pêcheurs occasionnels. Le nombre de cages mises à l'eau est limité à 300 par permis de pêche et une surveillance renforcée atténue l'importance du braconnage, dans les lagunes notamment. De même, les innovations technologiques qui amènent une hausse des captures dans les années 1980 et 1990 suscitent une prise de conscience salutaire. Les pêcheurs acceptent une réduction des captures à leur volume historique soutenable, et la taille minimale des homards débarqués est haussée année après année.

Cet apparent succès, quoique jamais assuré, de la préservation de la ressource principale des Îles tient à une particularité de l'espèce. Le homard passe tout le cycle de sa vie à proximité de l'archipel, seuls les Madelinots ont le droit de le capturer, ce qui implique une responsabilité commune dans la gestion des

stocks. Il n'en va pas de même pour les autres espèces traditionnellement exploitées, la morue, le hareng et le maquereau, ou
les nouvelles, le sébaste et le crabe des neiges. Les mesures de
conservation et l'attribution des quotas de prise s'étendent aux
autres régions du Québec, aux provinces de l'Atlantique et même
aux flottes internationales. L'extension jusqu'à 360 kilomètres
de la zone canadienne de pêche, en 1977, n'apporte qu'un bref
répit, car la surpêche canadienne y remplace la surpêche étran-
gère. Les Madelinots vont participer, bien malgré eux, au désastre des pêcheries de l'Atlantique.

Déchargement de sébaste à Cap-aux-Meules à l'usine de la *Gorton.*
(Coll. Musée de la Mer, Office du film du Québec, 70-8-2719)

Aux Îles comme ailleurs, les planificateurs et les industriels des années 1960 favorisent l'augmentation du volume des débarquements de poissons de fond, la morue et le sébaste, qui seront transformés en filets congelés pour répondre aux marchés nord-américains. Cette vision industrielle de la pêche implique l'emploi de bateaux outillés pour la pêche semi-hauturière et hauturière, de même que la construction d'usines conçues pour le travail à la chaîne et l'application des nouvelles technologies du froid. Le gouvernement du Québec investit massivement pour encourager les transformateurs et les pêcheurs. L'arrivée aux Îles des nouvelles techniques de pêche donne des résultats spectaculaires. De 680 tonnes, en 1962, le volume des débarquements de sébaste atteint un sommet historique de 22 000 tonnes en 1973.

La compagnie américaine *Gorton Pew*, déjà présente aux Îles depuis le premier conflit mondial, est au cœur des transformations du secteur des pêches, tout comme dans les années 1950.

Navires de la flottille de grands chalutiers
de la *Gorton Pew*.
(Centre d'archives des Îles-de-la-Madeleine,
Fonds du journal *Le Radar*, 1866)

Avec l'aide des gouvernements, elle reconstruit en 1967 son usine de Cap-aux-Meules incendiée deux années plus tôt. L'État poursuit ses investissements et le havre de Cap-aux-Meules est transformé en centre de pêche hauturière, ce qui amène la *Gorton* à y concentrer ses débarquements et à fermer son usine de Havre-Aubert, en 1974. La compagnie crée un précédent au Québec en achetant de 1971 à 1973 six navires neufs de 40 mètres dotés de grands chaluts hissés par l'arrière. Chacun de ces navires a une capacité de pêche équivalant à celle de 20 petits chalutiers communément en usage jusque-là sur la côte atlantique.

Dès le milieu des années 1970, la belle époque de la pêche hauturière aux Îles est déjà révolue. La soudaine baisse des populations de sébaste force le gouvernement canadien à établir des quotas et à interdire temporairement la pêche à bord de navires de plus de 30 mètres dans le golfe. La flotte des grands chalutiers de la *Gorton* est condamnée à l'inaction. La chute des prix amenée par une compétition croissante et la soudaine hausse du coût des carburants achèvent d'anéantir les espoirs de profit. En 1976, la *Gorton* jette l'éponge : elle annonce son intention de cesser toute activité aux Îles. Pour les Madelinots, cette décision a autant de signification que celle du moratoire de 1992 aura pour les pêcheurs de morue terre-neuviens.

Au début des années 1970, la pêche industrielle a déjà fait une autre victime, le hareng. On se souvient en quelle quantité astronomique le petit poisson venait frayer dans la baie de Plaisance chaque printemps, attirant dans son sillage les pêcheurs de toute la côte atlantique en quête d'appâts pour leurs expéditions estivales. Les pêcheurs côtiers qui trouvent à peu de frais le moyen d'appâter leurs cages à homard, tout en fournissant les traditionnels fumoirs à hareng, doivent affronter une pêche industrielle vorace qui livre ses captures à des usines produisant du hareng salé, de l'huile et de la farine de poisson. En 1970, le volume des prises de hareng équivaut à la moitié du poids de tous les débarquements aux Îles. L'année suivante, les effets de la surpêche se font sentir de façon soudaine et les stocks s'effondrent.

Le hareng, comme le sébaste et plus tard la morue, a été victime de l'efficacité accrue de la flotte hauturière, et les pêcheurs côtiers, qui ne sont aucunement responsables de la surpêche, en subissent les contrecoups. Ils se voient privés d'appâts et ne peuvent plus approvisionner les fumoirs qui ferment les uns après les autres. La *Gorton Pew* doit même vendre les gros seineurs utilisés dans cette pêche. Ils sont remplacés par ceux du Nouveau-Brunswick, détenteurs de quotas de pêche dans le golfe. Au début du XXIe siècle, le hareng fait un timide retour aux Îles, en quantité suffisante pour alimenter une nouvelle «boucanerie» près du pont reliant les îles du Cap aux Meules et du Havre aux Maisons.

Mais la liste de toutes ces espèces en déclin au tournant des années 1970 n'est pas complète. La découverte de bancs de pétoncles au sud de l'archipel, au début des années 1960, donne l'espoir aux pêcheurs qui disposent des plus gros homardiers de poursuivre leur saison de pêche après la fermeture de celle du homard. De juillet à septembre, ils équipent leurs navires de dragues qui ratissent le fond et cueillent le précieux mollusque. Pendant quelques années, les rendements et le prix font de cette pêche le symbole de la polyvalence de la pêche côtière. Pratiquée librement, elle engage plus d'une soixantaine de bateaux et, en 1970, la valeur des débarquements atteint 20 % de la valeur de tous les produits ramenés à quai, soit près de la moitié de celle du homard. Là encore, l'année 1971 constitue une charnière : désormais les prises diminuent à vue d'œil. Au début du XXIe siècle, les revenus tirés du pétoncle sont marginaux.

L'avènement de la pêche au crabe des neiges fait figure de rayon de soleil dans un horizon bouché. Contrairement au pétoncle et au homard, le nouveau crustacé crée de nombreux emplois à terre. À Havre-Aubert, les usines de Madelipêche et de la *National Sea Product* sont hâtivement aménagées, en 1980, pour recevoir cette nouvelle récolte. Enfin, cette fois, la ressource est bien gérée et son rendement se maintient. En 2001, le crabe représente 22 % de la valeur de tous les débarquements. Pour cette même année, les valeurs combinées du crabe et du homard équivalent à 91 % du total, confirmant une fois de plus la prédominance du crustacé dans les pêcheries des Îles. Aujourd'hui, malgré les crises ayant ponctué son évolution, la pêche conserve donc toute son importance aux Îles. Comme l'essentiel des revenus provient du homard et du crabe, les deux espèces les mieux gérées sur la côte atlantique, il est permis d'envisager l'avenir avec une prudente confiance. Chaque année, la flotte progressivement modernisée d'environ 400 bateaux ramène sur les 12 quais de l'archipel pour près de 40 millions de dollars de prises. Toutefois, les pêcheurs et les gestionnaires de la ressource trouvent dangereuse cette dépendance presque totale de l'économie des pêches envers les deux crustacés. Les efforts de diversification par la recherche de nouvelles espèces, l'élevage par les entreprises maricoles ou la mise en marché de nouveaux produits transformés tardent à porter fruit. Qu'importe, les Îles jouissent sans doute de la plus forte concentration de pêcheurs optimistes de la côte atlantique.

Gagner sa vie autrement

Malgré le maintien du secteur des pêches, les Îles n'échappent pas à la véritable révolution du monde du travail qui frappe toutes les sociétés occidentales dans l'après-guerre. Les domaines de l'exploitation des ressources naturelles et de la transformation fournissent de moins en moins d'emplois ; comme conséquence, la majeure partie de la main-d'œuvre insulaire se trouve désormais dans les secteurs reliés à l'enrichissement collectif et à la société de consommation. Toutefois, en parallèle, nombre d'activités traditionnelles perdurent. Outre la pêche, la chasse printanière au phoque est toujours pratiquée et plusieurs Madelinots s'adonnent encore à l'agriculture. Une autre ressource naturelle des Îles est aussi exploitée depuis une vingtaine d'années, celle qui est constituée par les immenses dômes de sel sur lesquels repose l'archipel.

La chasse au loup marin représente la plus ancienne activité pratiquée aux Îles. Elle s'y développe d'abord accessoirement à celle du morse et perdure depuis, malgré la disparition

de la vache marine à la fin des années 1700. Pendant longtemps, la course sur la banquise et à travers les glaces dérivantes
avait signalé le retour annuel des beaux jours, juste avant l'arrivée du hareng et la reprise du travail des champs. Les revenus
tirés de la vente de l'huile et des peaux de loup marin, notamment la fourrure claire et soyeuse des blanchons (nouveau-nés),
étaient investis dans la préparation de la prochaine saison de
pêche. Le rendement de la chasse est toujours incertain, le danger
est omniprésent et la concurrence des chasseurs terre-neuviens
est féroce. Au tournant des années 1950 et 1960, les expéditions des Madelinots rejoignent l'efficacité des Terre-Neuviens
familiers depuis longtemps avec la chasse industrielle. Les prises annuelles des insulaires atteignent près de 50 000 têtes.

« Aller aux glaces », quand terre et mer se confondent.
(Centre d'archives des Îles-de-la-Madeleine, Fonds du journal *Le Radar*, 602)

Cette efficacité accrue des chasseurs qui peuvent pénétrer au cœur des mouvées avec leurs navires à coque d'acier fait bientôt craindre la disparition du phoque du Groenland et le gouvernement canadien doit réagir. Il impose des permis et des quotas, restreint le calendrier et interdit certaines pratiques. Les écologistes s'en mêlent, car les méthodes de mise à mort des blanchons heurtent la sensibilité des contemporains. Les Madelinots se retrouvent au centre d'une controverse qui les oppose à l'influente *International Fund for Animal Welfare*, à Brigitte Bardot et à de nombreux autres animalistes. Les Madelinots fondent une Association des chasseurs de loup marin et résistent aux accusations, mais le combat est inégal. Aujourd'hui, la chasse a repris un certain niveau après deux décennies de vaches maigres. Entre-temps, les effectifs du troupeau ont littéralement explosé et les phoques s'attaquent aux espèces traditionnellement pêchées par les Madelinots.

C'est l'agriculture vivrière axée sur l'élevage de milliers de têtes de bétail qui avait permis l'établissement des centaines de familles pionnières au XIXᵉ siècle. À compter des années 1950, le monde rural du Québec et des Maritimes entre dans une ère de changements profonds et irréversibles. L'activité agricole se restreint aux zones dotées du meilleur potentiel agro-écologique et, dans les régions où l'agriculture n'était guère plus qu'un complément de l'exploitation forestière ou de la pêche, la petite ferme ne devient plus qu'un lieu de résidence. L'exiguïté des fermes insulaires et l'absence de commercialisation des produits accélèrent le processus aux Îles. Sur le continent, nombre d'agriculteurs décident d'en faire leur profession, achètent les terres de leurs voisins, mécanisent leur exploitation et conquièrent les marchés. Ce mouvement de consolidation, encouragé par les gouvernements, n'atteint pas l'archipel. On laisse tomber, un point c'est tout.

Une timide reprise se manifeste néanmoins au cours des années 1970. Quelques Madelinots se lancent dans l'élevage bovin, la culture de la pomme de terre et du navet, des légumes en serre. L'île d'Entrée, le seul endroit protégé par la loi du zonage

agricole, abrite encore plusieurs éleveurs. Les développements récents sont encore plus prometteurs. Les adeptes de productions animales viennent de faire revivre un petit abattoir à Pointe-Basse (Havre-aux-Maisons), un complexe alliant ferme laitière et fromagerie voit ses produits se tailler une réputation enviable, la culture de légumes dans les champs ou en serres, parfois biologiquement certifiée, est en voie de croissance et de diversification. Tout cela demeure toutefois bien modeste pour ces îles reconnues par le recenseur, en 1871, comme le meilleur terroir du district de Gaspé.

Au début des années 1970, des recherches menées pour découvrir des gisements de pétrole ou de gaz révèlent l'étendue et la profondeur des dômes de sel qui supportent l'archipel. La Société québécoise d'exploration minière (SOQUEM)

La fromagerie du Pied-du-Vent, à Havre-aux-Maisons, est une entreprise artisanale réputée.
(Photo Normand Perron)

s'intéresse à ce produit qui pourrait être substitué au sel d'épandage importé de la Nouvelle-Écosse et de l'Ontario. C'est à la Grosse Île que les gisements sont les plus accessibles et abondants. De 1972 à 1983, année d'ouverture de Mines Seleine, environ 100 millions de dollars sont investis dans la poursuite des travaux d'exploration, les études de faisabilité et surtout la construction de la mine avec ses puits d'exploration, ses installations souterraines de concassage, ses convoyeurs et son quai de chargement accessible à des navires de fort tonnage.

Dans un souci d'économie, la SOQUEM décide de construire le quai de chargement à l'intérieur de la lagune de la Grande Entrée. Il s'avère nécessaire de draguer un chenal de 10 kilomètres, d'une largeur de 100 mètres à travers ce qui était déjà reconnu, un siècle plus tôt, comme le meilleur fond de homard du golfe Saint-Laurent. Il faut de plus remblayer quelques hectares dans la lagune, et les déblais du chenal donnent

Le *Saunière* de la compagnie SONOMAR prend sa cargaison de sel dans la lagune de la Grande Entrée.
(Coll. Musée de la Mer)

naissance à deux îlots artificiels dans le plan d'eau. Les quelque 200 emplois créés par l'entreprise, vendue à perte à la Société canadienne de sel, en 1988, demeurent précieux. D'ailleurs, l'économie de l'archipel ressentira fortement les contrecoups d'un désastre survenu en 1995, lors de l'inondation du principal puits d'exploitation. Deux années de travail acharné seront nécessaires pour sauver la mine et permettre la réembauche de la majorité des travailleurs.

L'exploitation des ressources de la mer, du sol et du sous-sol ne procure cependant plus qu'une fraction des emplois nécessaires au maintien sur l'archipel d'une population relativement importante pour l'étroitesse de son territoire. L'amélioration des communications avec le continent est une condition essentielle à la croissance exponentielle des échanges de produits et de services suscitée par la modernisation de la société insulaire. À l'origine, les investissements dans le transport maritime et aérien n'avaient pas pour but premier d'attirer des touristes aux Îles. Toutefois, chose imprévue, le tourisme a pris une telle ampleur qu'il concurrence la pêche comme moteur principal de l'économie des Îles-de-la-Madeleine, au début du XXIe siècle.

En milieu insulaire, les liaisons maritimes avec l'extérieur constituent un souci constant. Naviguer dans le golfe n'est pas une sinécure, le continent est à une distance respectable et l'avènement aux Îles comme ailleurs de la société de consommation exige le transport d'un volume croissant de passagers, d'automobiles et de marchandises livrées par camion. Le *North Gaspé*, qui effectue dans les années 1960 la navette depuis Pictou, Charlottetown et Souris, est loin de suffire à la tâche, d'autant qu'il faut palanquer les automobiles à son bord. L'archipel a donc besoin d'un traversier sur lequel camions et automobiles peuvent accéder de plain-pied, ainsi que d'un port dont les quais demeurent accessibles par gros temps.

En 1970, le gouvernement fédéral annonce la construction d'un havre régional en eau profonde comportant des quais distincts pour les pétroliers, les bateaux de pêche hauturière et les embarcations côtières. Une entente fédérale-provinciale

permet la mise en opération du *Manic*, un traversier qui peut accueillir une trentaine d'automobiles, à l'automne 1971. Dès l'été 1972, le *Manic* s'avère d'une beaucoup trop faible capacité et des centaines d'automobilistes et de camions doivent attendre jusqu'à deux ou trois jours sur le quai de Souris à l'Île-du-Prince-Édouard. Déjà, la Coopérative de transport maritime et aérien (CTMA), qui gère le traversier pour le compte du gouvernement fédéral, lui cherche un remplaçant. Le *Lucy Maud Montgomery*, qui peut transporter 300 passagers et 70 automobiles, prend la relève de 1975 à 1997. L'achat par la CTMA d'un grand traversier construit en Irlande et rebaptisé *Le Madeleine* permet enfin d'accueillir le flot grandissant du tourisme estival.

La CTMA, qui opère aussi un lien maritime hebdomadaire avec Montréal, cherche dans les années 1980 un navire capable d'accueillir les camions-remorques et d'affronter les glaces. À compter de 1989, le cargo *CTMA-Voyageur* inaugure une liaison maritime hivernale entre Matane et Cap-aux-Meules, rompant la fatalité de l'isolement hivernal. Ce navire est remplacé en

Le *Lucy Maud Montgomery* arrive à Cap-aux-Meules.
(Coll. Musée de la Mer)

2002 par un traversier brise-glace partiellement transformé en bateau de croisière d'une capacité de 500 passagers et de 300 automobiles. Le CTMA-*Vacancier* relie Montréal, Québec et Chandler, en Gaspésie. Le navire performe tellement bien dans les glaces du golfe que la coopérative peut offrir des croisières hivernales entre Matane et les Îles à l'hiver 2004.

La modernisation des services aériens aux Îles n'est pas non plus, à l'origine, orientée vers la clientèle touristique. Jusqu'à la fin des années 1950, il n'existe pas de véritable aéroport sur l'archipel et les rares compagnies qui desservent les Îles opèrent depuis la piste improvisée de la dune du Nord à Fatima. En 1956, le ministère fédéral des Transports estime le trafic suffisant pour doter les Îles d'une aérogare et d'une piste en dur à Havre-aux-Maisons. Malgré la hausse constante du nombre des passagers et des liaisons, de la taille des aéronefs, les installations demeurent longtemps rudimentaires. L'aide à la navigation est minimale, les pistes trop courtes et aucun éclairage à haute intensité n'est disponible. Des investissements majeurs transforment le petit aéroport de 1981 à 1983. Une nouvelle aérogare est construite, les pistes sont réalignées et allongées, un système de navigation est implanté.

Depuis 1960, la longue liste des compagnies et des types d'aéronefs qui ont fréquenté l'aéroport de Havre-aux-Maisons constitue une véritable histoire de l'aviation régionale dans l'est du Canada. La population des Îles, en croissance jusqu'en 1986, a toujours compté proportionnellement un plus grand nombre d'usagers du transport aérien qu'ailleurs au Québec ou dans les Maritimes. L'enrichissement collectif, l'intensification des rapports avec le continent et la modernisation des infrastructures n'ont fait qu'accentuer la demande. En 1989, par exemple, 41 500 passagers ont franchi, dans un sens ou l'autre, les tourniquets de l'aéroport, une fréquentation presque aussi élevée que celle de la navette maritime Cap-aux-Meules–Souris.

Les Madelinots, plus dépendants que la plupart des autres Québécois du transport aérien, souffrent donc plus que leurs concitoyens du continent de la crise de l'aviation régionale. La plupart des compagnies régionales étaient nées et s'étaient développées dans le sillage des grands travaux du Nord québécois et du Labrador. La faillite de Québecair dans les années 1980 doit être vue dans la perspective de la disparition de cette manne. Dans les régions du sud plus peuplées, l'automobile laisse peu de place à la concurrence. Aux Îles, la voiture particulière impose aussi sa dictature. La majeure partie des produits et services offerts visent le visiteur au volant de sa propre voiture ou les groupes débarqués du traversier en autocar.

Le soudain afflux des visiteurs surprend les Madelinots à l'été 1972. Les premiers forts contingents sont d'abord constitués par la diaspora madelinienne, chaque famille recevant en moyenne cinq visiteurs par été. À part les paysages magnifiques, l'archipel a d'abord peu de produits et de services à offrir aux vrais touristes, dont beaucoup sont des habitués de la très accueillante Île-du-Prince-Édouard. Des Madelinots entreprenants s'engagent bientôt dans l'offre de services à la nouvelle clientèle. Un terrain de golf ouvre à L'Étang-du-Nord en 1972. L'année suivante, un premier centre commercial est mis en chantier, et la construction de motels et l'aménagement de terrains de camping s'accélère. En 1980, le bilan de la première véritable décennie touristique montre qu'il reste beaucoup à faire pour diversifier et améliorer les infrastructures d'accueil, étaler la saison, offrir aux visiteurs les produits de l'artisanat local et des produits marins frais, créer des pistes cyclables et veiller à la propreté des plages.

Dans les années 1980 et 1990, les Madelinots, désormais convaincus de l'apport économique durable que constituent les visiteurs, multiplient les facilités d'hébergement et de restauration. Une base de plein air ouvre à Grande-Entrée, de nouvelles activités bien structurées sont offertes, tels l'observation printanière des phoques du Groenland, les excursions de pêche, les compétitions de planche à voile, les randonnées équestres, l'ornithologie, le concours annuel de châteaux de sable de Havre-Aubert. Les continentaux viennent de plus en plus nombreux aux Îles. D'une moyenne de 20 000 dans les années 1970, le nombre de visiteurs croît jusqu'à 30 000, en 1991, puis à 36 000 en 1998. Depuis, la fréquentation touristique ne fait qu'augmenter et le cap des 50 000 est franchi en 2002, générant des retombées excédant les 40 millions de dollars.

Les Madelinots s'enrichissent

Le visiteur qui parcourt l'archipel en ce début de XXIe siècle peut être charmé par la beauté des paysages, mais l'habitat des Madelinots l'étonne moins. Même si les maisons traditionnelles sont encore nombreuses, la mode nord-américaine du bungalow s'y est toutefois répandue depuis 1960. La résidence des insulaires se distingue peu, par son confort et son apparence, de celle du touriste de la banlieue de Montréal qui la découvre. Ici comme ailleurs, les éléments de la modernité sont démocratiquement disponibles : chauffage central et eau chaude à volonté, longue liste des électroménagers fonctionnant à l'électricité, stationnement frontal avec le ou les véhicules de la maisonnée. Sur le toit, une soucoupe pour ceux qui ont préféré le satellite au câble pour alimenter leur téléviseur. Or tout ce confort bourgeois est relativement récent aux Îles.

L'électrification des années 1950 et l'enrichissement collectif du début 1960 sont les préalables du rattrapage des consommateurs insulaires. Le réfrigérateur disponible dans un foyer sur neuf et le téléviseur dans un sur cinq, en 1961, sont entrés dans presque toutes les maisons en 1971. L'usage généralisé de l'automobile se répand en quelques années à peine. Avec 70 % des ménages qui disposent de la précieuse machine en 1971, les Madelinots ont déjà rejoint la moyenne québécoise. Le renouvellement du parc immobilier amorcé dans les années 1950 se poursuit dans les décennies 1960 et 1970, surtout sur l'île du Cap aux Meules, et des réseaux d'aqueduc sont mis en place sur les îles du Havre Aubert, du Cap aux Meules et du Havre aux Maisons. En général, la résidence unifamiliale habitée par ses propriétaires demeure la règle, malgré une croissance récente du logement locatif.

Toutes ces manifestations de l'enrichissement collectif des Madelinots n'auraient pas été possibles sans l'énergie électrique à bon marché. Il ne fait aucun doute que la nationalisation de l'électricité s'avère extrêmement avantageuse pour les insulai-

res. Le coût de la production d'électricité aux Îles est de quatre à cinq fois plus élevé que sur le continent et les déficits de la société d'État sont structurels et considérables. C'est en partie pour réduire ces coûts que Hydro-Québec décide de construire une centrale thermique alimentée au mazout lourd beaucoup moins coûteux que les huiles légères jusque-là utilisées. L'énorme structure hérissée de cheminées domine, depuis 1991, le paysage de Cap-aux-Meules, et sa capacité précède de plusieurs décennies la demande de pointe envisageable.

L'enrichissement collectif et individuel des Madelinots, après 1960, vient surtout de l'élargissement du bassin d'emploi. En quelques années, tout semble concourir à la croissance du travail salarié : la diversification des pêches, le *boom* de la construction

La centrale thermique de Cap-aux-Meules.
(Photo Normand Perron)

résidentielle et commerciale, la naissante économie des services privés et la prise en charge par le gouvernement du Québec du large éventail des services aux citoyens. Entre 1960 et 1980, le nombre de logements double et une bonne partie des résidences existantes subissent des rénovations majeures. À intervalles réguliers, de grands travaux d'infrastructure s'ajoutent : construction de l'école secondaire polyvalente, des havres de Cap-aux-Meules et de L'Étang-du-Nord, de Mines Seleine, de l'aéroport, de la centrale thermique, de l'hôpital. En 2004, le paysage bâti de l'archipel a peu à voir avec celui des années 1950.

Le bilan du secteur des services est encore plus impressionnant. Aujourd'hui, il regroupe 70 % de la main-d'œuvre. Cette véritable révolution du monde du travail en implique une autre, celle de la féminisation de la main-d'œuvre. Les Madeliniennes entrent massivement sur le marché du travail entre 1961 et 1986 dans la foulée de l'État-employeur et de la multiplication des activités commerciales et financières, des services personnels et de la création culturelle. Grâce à la combinaison du travail féminin et masculin, le taux d'activité aux Îles est comparable à la moyenne québécoise et le revenu moyen des ménages se hisse au-dessus de la moyenne des régions rurales. L'existence de larges cohortes de travailleuses et de travailleurs saisonniers qui dépendent du soutien de l'assurance-emploi assombrit cependant ce tableau encourageant.

La formation pour le marché du travail

Les nouvelles exigences du marché du travail ont eu des répercussions directes sur le monde de l'éducation aux Îles. Avant 1960, la formation donnée aux jeunes Madelinots des deux sexes leur donnait un accès direct à la majorité des emplois dans l'exploitation des ressources, la transformation et la construction, les commerces et les services privés. Au fil des décennies, le besoin de main-d'œuvre non spécialisée s'est fortement réduit au profit des techniciens et des professionnels. À une époque où l'archipel multiplie ses liens avec l'extérieur, il est un domaine où, paradoxalement, l'insularité constitue un inconvénient croissant. Pour accéder aux nouvelles carrières intéressantes et bien rémunérées de l'archipel, tous les jeunes Madelinots doivent désormais s'exiler pour une longue période sur le continent.

Au Québec, la réforme de l'éducation constitue le signe le plus tangible de l'arrivée de la Révolution tranquille. Dans la foulée d'une vaste enquête qui débouche sur le rapport Parent et la création, en 1964, du ministère de l'Éducation, tout le réseau, de la maternelle à l'université, est pris en charge par le gouvernement du Québec. Cette normalisation des structures et des contenus exige le regroupement de la clientèle scolaire et généralise la pratique du transport scolaire. Aux Îles, la première retombée des réformes amène la fermeture d'une douzaine d'écoles de canton au profit de huit écoles centrales dont les territoires correspondent presque à ceux des municipalités. La réforme provoque aussi une déconfessionnalisation de l'enseignement. Les congrégations religieuses n'auront donc été fortement actives dans l'éducation aux Îles que pendant une vingtaine d'années, ce qui constitue une exception à l'échelle du Québec.

La réforme s'effectue à un train d'enfer sur l'archipel. Dès septembre 1966, une vaste école régionale francophone de niveau secondaire ouvre ses portes à La Vernière, sur l'île du Cap aux Meules. Elle accueille tous les élèves catholiques des Îles à partir de la huitième année. Les étudiants qui proviennent de Bassin, Pointe-aux-Loups et Grande-Entrée doivent être logés en semaine dans deux résidences rattachées à l'école. En 1969, l'établissement devient une école secondaire polyvalente en intégrant dans son secteur professionnel les activités de l'École des arts et métiers ouverte en 1959. Parallèlement, l'École normale pour filles de Havre-aux-Maisons, institution fondée en 1877 par les sœurs de la Congrégation de Notre-Dame, ferme ses portes en 1972, la formation des maîtres étant désormais confiée à l'université.

Tout au long des années 1960 à 2004, le système scolaire aux Îles évolue au rythme de la transformation de la pyramide des âges. La soudaine baisse de la natalité frappe l'école primaire dès la fin des années 1960, et la clientèle de ce niveau diminue depuis lors. Il s'avère de plus en plus difficile de maintenir les petites écoles francophones et anglophones des Îles en mal de relève à la Grosse Île, à la Grande Entrée et à l'île d'Entrée. Au niveau secondaire, les mouvements ont encore plus d'ampleur. L'arrivée en masse de tous ces enfants issus du *baby-boom* des années 1950 et leur persévérance accrue gonflent les effectifs de 600, en 1960, à 1 800 en 1973. L'école polyvalente qui paraissait trop vaste lors de son ouverture manque de locaux. Mais déjà, le déclin de la clientèle s'amorce puis s'accélère au tournant des années 1980. Aujourd'hui, le secondaire ne compte plus guère qu'environ 700 étudiants.

Le campus du Collège de la Gaspésie et des Îles.
(Photo Normand Perron)

Les élèves qui terminent leurs études secondaires éprouvent des difficultés d'ordre économique ou psychologique à poursuivre leur scolarité au niveau supérieur sur le continent, et plusieurs préfèrent mettre un terme à leurs études plutôt que de quitter les Îles. C'est dans cette perspective qu'un campus collégial rattaché au Collège de la Gaspésie et des Îles ouvre ses portes en 1983, à même les locaux de la polyvalente. Le cours de deux ans recrute une nombreuse clientèle et le campus hérite de locaux distincts. Ce succès ne peut toutefois faire contrepoids à des problèmes récurrents qui touchent l'enseignement aux Îles. Le décrochage scolaire demeure très élevé, le taux d'inscription à des cours de niveau universitaire est largement inférieur à la moyenne québécoise, tout comme la scolarité relative des Madelinots. Il n'empêche que des pas de géant ont été franchis depuis l'application de la loi de l'instruction obligatoire en septembre 1943.

Vivre longtemps et en santé

La réforme des soins de santé constitue le deuxième volet principal des transformations structurelles issues de la Révolution tranquille des années 1960. Elle a pour but d'offrir des soins de santé de qualité à tous les habitants du Québec, indépendamment de leur capacité financière et du lieu de résidence. Aux Îles, les effets des nouvelles politiques se font sentir avec peu de retard, surtout parce que la plupart des insulaires admettent que les nouveaux services doivent se greffer à l'institution existante, l'hôpital de Cap-aux-Meules. Il est d'ailleurs bon de rappeler à quel point les progrès de la santé publique aux Îles ont été majeurs dans les années 1940 et 1950. La mortalité infantile a chuté de façon extraordinaire et la tuberculose, qui prélevait un lourd tribut annuel chez les Madelinots adultes, est en voie de disparition.

L'hôpital Notre-Dame-de-la-Garde étend la gamme de ses services dès que l'assurance-hospitalisation entre en vigueur, en 1961. Les sœurs de la Charité ouvrent une école d'infirmières auxiliaires pour satisfaire les besoins croissants de personnel à l'hôpital. Celui-ci est rénové et doté d'une annexe, le pavillon du Christ-Roi, un foyer pour personnes âgées. La mise en vigueur de la Loi sur les services de santé et les services sociaux donne l'occasion de nouveaux bouleversements. Les sœurs de la Charité, dont 107 ont œuvré à l'hôpital de 1938 à 1972, doivent céder l'administration de l'institution à une corporation laïque et un nouvel acteur est mis en place pour offrir des services élargis, le Centre local de santé communautaire (CLSC).

L'archipel, une des premières régions rurales dotée d'un hôpital général en 1938, se voit de nouveau favorisé en 1972 quand les Îles héritent d'un projet-pilote créant l'un des premiers CLSC. Le nouvel organisme ayant pour mandat la prévention et l'action sanitaire en première ligne, de même que la dispensation des services sociaux, intègre le personnel infirmier de la Croix-Rouge et de l'Unité sanitaire. La demande accrue provoquée par la gratuité des soins et l'élargissement de l'offre, au cours des années 1970 et 1980, rendent insuffisante la capacité d'accueil de l'édifice qui abrite le Centre hospitalier et le CLSC. Un nouveau complexe sociosanitaire construit à fort prix permet de loger les deux organismes, en 1992, et le vieil hôpital est démoli.

Les années de croissance du système marquées par le déploiement de nouvelles structures (hôpital, foyer pour personnes âgées, CLSC, Centre de réadaptation) avaient fait exploser les budgets. La rationalisation du réseau, un effort d'économie

Le nouveau Centre hospitalier.
(Photo Normand Perron)

appliqué à l'ensemble des régions du Québec dans les années 1990, surprend d'autant plus les Madelinots que le nouveau Centre hospitalier vient à peine d'être inauguré. L'encadrement est réduit et des services sont regroupés, la hausse de productivité exigée des employés permet d'en diminuer les effectifs, près de la moitié des lits consacrés aux soins de courte durée disparaissent, et les places d'hébergement pour les personnes âgées sont contingentées. L'inauguration de la télémédecine réduit aussi les dépenses reliées aux visites de spécialistes en plus d'atténuer le sentiment d'isolement du personnel médical. Les campagnes de financement de la Fondation du Centre hospitalier vont dans le même sens en permettant l'acquisition d'équipements coûteux.

Aujourd'hui, le bilan de santé des Madelinots est globalement positif et leur espérance de vie surpasse la moyenne provinciale. Comme les autres régions éloignées du Québec, l'archipel éprouve les mêmes difficultés de recrutement et de rétention du personnel médical, même si le charme des Îles en séduit plusieurs. Dans les prochaines décennies, le principal problème des soins de santé aux Îles viendra du vieillissement de la population. Sur le continent, les personnes âgées ont tendance à se regrouper dans les résidences à proximité des grands hôpitaux généraux dispensateurs de la large gamme des soins requis par les aînés. Or ce grand hôpital général ne sera jamais accessible aux Îles, ce qui implique le choix déchirant de l'exil pour les insulaires atteints de maladies chroniques nécessitant des soins spécialisés non disponibles sur l'archipel.

Les débats politiques et la vie associative

Les années 1930 à 1960 ont largement été marquées par l'organisation sociale des francophones des Îles autour de deux institutions, l'Église catholique et le coopératisme. Les congrégations religieuses ont investi l'enseignement et les soins de santé, et les coopératives ont pris en charge une large part de l'économie insulaire. Or le passage à la modernité de la deuxième moitié du XXe siècle est difficile pour les deux institutions, alors que de nouvelles formes de solidarité se font jour. La

déconfessionnalisation des domaines de la santé et de l'éducation provoque le départ successif des congrégations religieuses
et la mission pastorale de l'Église est compromise par la désaf-
fection des fidèles. Cette démobilisation touche aussi le monde
coopératif. Désormais, les Madelinots sont surtout des clients
de la caisse populaire et du magasin coopératif, une attitude qui
contraste avec l'engagement de leurs grands-parents dans les
années 1940.

Le syndicalisme est au centre des nouvelles expressions de
la solidarité. L'organisation des travailleurs prend deux formes,
celle qui arrive dans le sillage du mouvement de syndicalisation
des fonctionnaires des secteurs public et parapublic québécois,
et celle qui est issue des bouleversements économiques locaux.
Favorisés par des conditions d'emploi qui les placent au-dessus
de la moyenne des travailleurs du secteur privé, ceux du secteur
public se mobilisent surtout quand est menacé leur principal
acquis, la sécurité d'emploi. C'est le domaine des pêches qui
donne lieu aux plus chaudes luttes, car la soudaine transition
vers la pêche et la transformation industrielles chambarde les
conditions de travail. Les employés de la *Gorton Pew* se révol-
tent devant les horaires de travail irréguliers assujettis aux débarquements. En 1972, les 320 syndiqués de la compagnie enta-
ment une longue grève et, en 1974, c'est au tour des pêcheurs
semi-hauturiers et hauturiers de refuser de prendre le large.

D'autres regroupements liés au monde du travail se forment
spontanément aux Îles, surtout pour protéger des emplois me-
nacés par des interventions extérieures. Les entrepreneurs et les
travailleurs de la construction, les camionneurs surveillent l'utilisation de la machinerie et l'embauche des travailleurs de
l'extérieur sur les chantiers des Îles, les pêcheurs entretiennent
jalousement l'exclusivité de leur territoire d'exploitation, et les
chasseurs de phoque offrent un front uni face aux animalistes
de tout poil. La mobilisation des membres de chacun de ces
groupes est plus facile qu'ailleurs, car les grèves, les arrêts de
travail spontanés ou les manifestations visent, la plupart du
temps, une menace extérieure, comme la modification de

politiques gouvernementales ou les pratiques menaçantes des compagnies étrangères.

La vie associative aux Îles n'est pas un calque de celle des régions rurales du Québec. Là, l'Église catholique s'appuie sur tout un réseau d'associations à caractère religieux ou qui véhicule sa doctrine sociale, une nébuleuse que complètent les clubs sociaux laïcs ou neutres, comme les Chevaliers de Colomb, les clubs Lions, Rotary ou Richelieu. Aux Îles, la tendance à l'associationnisme s'oriente surtout vers la lutte à la pauvreté et à l'exclusion sociale. Les Chevaliers de Colomb et leur contrepartie féminine, les Filles d'Isabelle, ajoutent leurs voix aux clubs de l'Âge d'or pour la promotion de nobles causes comme la construction de logements à loyer modique. C'est toutefois la Chambre de commerce des Îles qui pilote la plupart des dossiers économiques d'envergure locale ou régionale. L'influent groupe de pression ne peut être négligé par les élus des Îles à Québec et à Ottawa.

Travail saisonnier, chômage saisonnier : une situation souvent inévitable et des droits à défendre.
(Centre d'archives des Îles-de-la-Madeleine, Fonds du journal *Le Radar*, 1823)

À compter des années 1960, tous les acteurs politiques des Îles doivent composer avec les politiques fédérale et provinciale de développement régional. Le Bureau d'aménagement de l'Est du Québec Inc. (BAEQ) est chargé de l'élaboration d'un plan pour la région désignée, la région-pilote, regroupant le Bas-Saint-Laurent, la Gaspésie et les Îles-de-la-Madeleine. Les Madelinots apprennent à la dernière minute qu'on va bientôt venir les sauver grâce à la manne fédérale dont la distribution est suggérée à Mont-Joli (siège social du BAEQ) par des chercheurs de l'Université Laval. De 1968 au début des années 1980, la mise en application du plan de développement a eu des retombées majeures sur l'archipel dont les infrastructures de transport et de pêche sont modernisées. Hélas, tout l'argent dépensé dans la diversification des pêches ne pouvait contrer la diminution de la ressource.

Même si le gouvernement fédéral accroît ses transferts dans l'économie de l'archipel au moyen des politiques de développement régional et des programmes de pension de vieillesse, d'allocation familiale et d'assurance-chômage, sa visibilité est dépassée par celle de sa contrepartie provinciale de plus en plus interventionniste. Entre 1947 et 1966, les Îles-de-la-Madeleine sont détachées de la Gaspésie et forment un comté fédéral indépendant. Ce découpage n'a guère de retombées et les investissements majeurs du fédéral aux Îles suivent leur réunification au nouveau comté de Bonaventure–Îles-de-la-Madeleine, en 1966. Aujourd'hui, ce comté est représenté à Ottawa par un Madelinot, Georges Farrah, un descendant des familles d'origine syrienne établies depuis plus de cent ans sur l'archipel.

C'est Hormidas Langlais, député de l'Union nationale, le représentant du comté provincial des Îles-de-la-Madeleine de 1936 à 1962, qui avait donné une grande visibilité de l'archipel au Parlement de Québec. Le libéral Louis-Philippe Lacroix prend la relève jusqu'à la vague péquiste de 1976. Il fait bon être député provincial des Îles au cours de ces années où les retombées des politiques de la Révolution tranquille multiplient les emplois dans la fonction publique, dans la santé et l'éducation.

Même s'il est difficile de cerner l'apport réel du député, qui devient responsable des pêcheries maritimes au sein de son gouvernement, dans l'enrichissement collectif des Madelinots au cours de ces années, il faut admettre que la période Lacroix a été prospère. Le politicien pugnace et habile organisateur ne manque pas de s'attribuer une partie des mérites associés à ce rattrapage.

Une jeune femme de L'Étang-du-Nord, Denise Leblanc, vient mettre un terme au règne Lacroix, en 1976. La députée péquiste, première femme élue aux Îles, exerce plusieurs fonctions dont celles de ministre de la Fonction publique et de ministre déléguée à la Condition féminine. Elle ne se représente pas après ses deux mandats et le libéral Georges Farrah lui succède en 1985. Ce dernier subit les contrecoups de la crise du milieu des années 1990 aux Îles, et le péquiste Maxime Arseneau, un autre Madelinot, lui succède en 1998, puis est réélu dans l'Opposition en 2003. Tout porte à croire que le long épisode des députés du continent « parachutés » sur l'archipel, de 1912 à 1976, est pour de bon révolu.

L'environnement, une question commune

Aux Îles, les problèmes environnementaux suscitent des débats plus intenses que nulle part ailleurs au Québec. Le domaine terrestre des Madelinots est étroit, l'arrière-pays inexistant. Les quelque 5 000 ménages qui peuplent l'archipel doivent s'accommoder des 150 kilomètres carrés offerts par les noyaux rocheux et de leurs maigres réservoirs d'eau potable, une

Denise Leblanc.
(Centre d'archives des Îles-de-la-Madeleine,
Fonds du journal *Le Radar*, 298)

pression qui s'accroît à la belle saison quand arrivent des dizaines de milliers de visiteurs. À lui seul, le récit de la diminution
des ressources du sol et de la mer constitue une histoire des Îles,
depuis la disparition de la vache marine à la fin du XVIIIᵉ siècle
jusqu'à l'effondrement récent des espèces commerciales de poisson, en passant par la dégradation des pâturages et le recul des
forêts.

En corollaire, c'est aussi aux Îles que sont prises les premières mesures de réhabilitation significatives, comme l'ensemen-
cement en homard des lagunes, en 1910, ou les travaux de sta-
bilisation de la dune à Havre-Aubert, dans les années 1920. À
compter de cette date, des centaines de milliers de jeunes pous-
ses de pin rouge, de pin Mugho, d'épinette et de cèdre sont plan-
tées sur les dunes et les pentes des collines, et des kilomètres de
clôture sont posés sur les dunes. Les efforts de protection du
couvert forestier restant et des plantes herbacées qui retiennent
les dunes se sont accélérés au cours des dernières décennies. On

Chemin de la Montagne, sur l'île du Havre Aubert,
avec vue sur la dune de l'Ouest.
Photo Normand Perron)

distribue des plants, une semaine de l'arbre est organisée et, aux endroits les plus fréquentés, des passerelles facilitent la traversée des dunes en direction des plages.

À terme, ce sont sans doute les problèmes liés à l'environnement, notamment celui de la gestion des déchets solides, qui vont conduire à la création d'un véritable gouvernement régional aux Îles, en 2002. L'avènement de la société de consommation et l'arrivée du tourisme de masse ajoutent à la difficulté dans les années 1970. Les détritus s'accumulent en bas des falaises, remplissent bien des fosses et déparent bien des plages. Les déchets recueillis sont livrés en vrac sur le site de dépotoirs d'un autre âge. Le problème est sévère et la solution sera novatrice. Au terme d'une longue démarche inspirée par les promoteurs d'un petit centre de récupération (Réutîle inc.), une usine de tri-compostage est créée à Havre-aux-Maisons en 1994. Désormais, les touristes ne découvrent pas seulement les plaisirs de la voile dans la lagune ou de la pêche en mer, mais aussi celui du triage complet de leurs déchets domestiques, une première pour la plupart d'entre eux.

Cette réalisation majeure de la municipalité régionale de comté des Îles (MRC) montre que les problèmes que doivent gérer les conseils municipaux méritent des solutions communes. Même si le premier sentiment d'appartenance va à son canton ou à son île, l'idée d'une communauté unifiée fait son chemin. Dès 1997, le projet de création d'une communauté maritime est à l'étude. Les résistances sont fortes, les pressions du gouvernement du Québec le sont aussi. La municipalité des Îles-de-la-Madeleine, dont les élus représentent le cadre géographique des anciennes municipalités, siège pour la première fois en 2002. Seule l'ancienne municipalité de Grosse-Île, pour des motifs linguistiques et culturels, a conservé une certaine autonomie.

Les voix des Îles

Quand les insulaires peuvent enfin capter le signal du réseau français de la télévision de Radio-Canada, au milieu des années 1960, une fracture s'est déjà produite entre la culture populaire des Madelinots et celle des autres Québécois. Désormais, les personnages des *Belles Histoires des Pays-d'en-Haut*, *Les Plouffe* et *Le Survenant* font partie de l'imaginaire collectif des continentaux, et les insulaires ont plus que jamais l'impression d'être les laissés-pour-compte de la nouvelle société des loisirs et de la culture de masse. En contrepartie, le choc culturel qu'amène le nouveau média transforme en à peine quelques années la sociabilité des Madelinots. En 1970, eux aussi passent leurs soirées devant le petit écran et leurs héros deviennent les mêmes que ceux de leurs cousins de Verdun.

L'offre télévisuelle demeure toutefois restreinte à celle de Radio-Canada et un nouveau clivage se dessine entre les insulaires et les continentaux. Au début des années 1980, un jeune entrepreneur madelinien, Paul Duclos, obtient du fédéral la permission de créer un système de câblodistribution. Les signaux satellites captés à Fatima sont relayés par câble aux clients des trois îles principales et la gamme des canaux disponibles s'allonge régulièrement. Sur les autres îles, le bassin d'abonnés potentiels est insuffisant et il faudra attendre l'avènement d'une nouvelle technologie. En 1996, une entente entre la compagnie Duscloscablevision et Télébec, la compagnie de téléphone qui dessert l'archipel, permet la mise en service d'un réseau de fibres optiques qui relie bientôt Grosse-Île et Grande-Entrée. Et, déjà, la télévision par satellite est disponible avec ses centaines de chaînes.

Les coûts associés à la production télévisuelle ne permettent toutefois qu'une production locale limitée dans le petit studio du câblodistributeur de Fatima. Par contre, la modestie relative exigée pour la production radiophonique incite, dès 1973, un groupe de travail à envisager l'établissement d'une radio communautaire locale. Le montage financier s'avère long et ardu et la radio communautaire CFIM n'entre en ondes qu'en novembre 1981. Pendant ses premières années d'opération, les déficits récurrents obligent les responsables à faire preuve d'imagination pour assurer la survie de l'institution. Comme les élites madeliniennes font de cette survie une priorité au sommet socioéconomique de 1988, CFIM peut bientôt aménager dans des locaux plus spacieux à La Vernière. L'importance croissante des cotes d'écoute fait de la radio communautaire l'outil privilégié de ceux qui veulent rapidement informer ou mobiliser tous les insulaires.

C'est cependant la presse écrite qui avait, jusqu'aux années 1980, assumé seule cette fonction de porte-parole des Madelinots. En 1962, le petit bimensuel *La Boussole* disparaît au moment même où la Révolution tranquille et la création du BAEQ rendent impérieuse l'existence d'un organe de presse local. *Le Madelinot*, bimensuel lui aussi, est lancé en juillet 1965 par un groupe d'investisseurs de Québec et des Îles. Le nouveau journal reçoit un bon accueil, même s'il s'agit manifestement d'un organe libéral sympathique au député provincial Louis-Philippe Lacroix. D'ailleurs, sa disparition suit de peu la défaite de Lacroix, en 1976, aux mains de la péquiste Denise Leblanc qui jouit du soutien du nouveau concurrent du *Madelinot*.

Le Radar, fondé par Achille Hubert en 1972, ne cache pas ses sympathies péquistes. D'abord diffusé avec des moyens modestes, le nouvel hebdo adopte un ton moins combatif après la disparition de son concurrent, ce qui élargit son auditoire à tous les Madelinots des Îles et de l'extérieur. Son contenu se professionnalise, son format et sa qualité d'impression s'améliorent. Après dix ans d'existence, le tirage se stabilise à 3 000 exemplaires, ce qui constitue un taux de pénétration remarquable qui peut se comparer à celui des hebdos à distribution gratuite du continent. Aujourd'hui, *Le Radar* constitue un médium incontournable, d'autant que sa diffusion sur Internet en élargit grandement l'audience. Depuis 1985, les anglophones des Îles disposent aussi d'un modeste organe, *The First Informer*, issu d'une initiative d'une résidante de Grosse-Île, Constance Boudreau-Clark.

La révolution culturelle

Il n'est pas exagéré de prétendre que les Madelinots ont vécu une véritable révolution culturelle, au cours des quarante dernières années, dont le coup d'envoi a été l'arrivée de la télévision en langue française. Depuis lors, ils ont été submergés par un flot de produits culturels de facture nord-américaine ou

québécoise peu soucieux de conserver les identités régionales. Une large part des manifestations culturelles, de la production des arts d'interprétation et des arts visuels, des mouvements de protection du patrimoine naturel et bâti, des efforts de conservation de la mémoire collective sont une réaction des Madelinots à cet envahissement. Aujourd'hui, ce que les insulaires ont de mieux à offrir à leurs nombreux visiteurs est le salutaire résultat de ce combat pour préserver leur identité.

En 1960, les seules manifestations de la culture savante se tiennent dans le cadre des activités scolaires du collège Saint-Pierre, à La Vernière, et de l'école normale de Havre-aux-Maisons. Des manifestations publiques où le chant est surtout à l'honneur rappellent parfois les multiples appartenances des insulaires à l'Église de Rome, au Canada français ou à la diaspora acadienne d'Amérique du Nord, comme le *Pageant* du bicentenaire acadien tenu à l'aréna de Cap-aux-Meules en 1955.

Gestes traditionnels inscrits sur la pierre par le sculpteur Roger Langevin sur la place publique de L'Étang-du-Nord.
(Photo Normand Perron)

Malgré la laïcisation de l'école dans la foulée des réformes des années 1960, cette tradition d'initiation à la pratique des arts dans le cadre scolaire se poursuit à la polyvalente. L'avènement du tourisme modifie cependant le calendrier et l'orientation des manifestations collectives. Il importe d'animer le séjour des visiteurs, et l'été devient donc la saison durant laquelle les activités théâtrales, musicales, d'arts visuels, artisanales et sportives battent leur plein.

Aucune région du Québec ne compte une aussi forte concentration de familles acadiennes. Un peu partout aux Îles, le drapeau tricolore étoilé est fièrement arboré. Toutefois, les relations des Madelinots avec leurs homologues acadiens des Maritimes ne sont pas aussi étroites que l'histoire et la situation géographique de l'archipel pourraient laisser croire. La distance tient sans doute au fait que les Acadiens des Îles n'ont pas eu à lutter comme ceux des Maritimes pour assurer leur survie culturelle, leur appartenance au Québec garantissant à leur langue et à leur foi un statut majoritaire. Chez les deux communautés acadiennes, par contre, la préservation de la tradition orale a été au cœur de la renaissance de la fierté commune dans les dernières décennies.

De façon générale, le renouveau culturel aux Îles passe par la valorisation du passé sous toutes ses formes. Les fêtes et les cérémonies commémoratives se succèdent avec régularité, même dans la petite communauté anglophone dont les références au passé sont différentes. L'irruption des moyens de diffusion modernes rend cependant plus urgent le besoin de recueillir les trésors de la tradition orale. Suzie et Yvonne Leblanc constituent un corpus de chansons anciennes, l'ethnologue acadien Anselme Chiasson décrit les façons traditionnelles d'être et de faire des anciens Madelinots, et des compilateurs et conteurs, tels Ovila Leblanc ou Azade Harvey, fixent sur papier plusieurs contenus fondamentaux. De plus, le français usuel des Îles a récemment été l'objet d'un ouvrage incontournable, le *Dictionnaire des régionalismes du français parlé des Îles de la Madeleine* par Chantal Naud.

C'est toutefois un prêtre originaire des Îles qui entreprend de regrouper dans un même lieu les preuves matérielles et les témoignages oraux du passé des insulaires. Frédéric Landry fonde le Musée de la Mer de Havre-Aubert en 1969, d'abord aménagé près de l'ancienne église. En 1973, le musée prend possession de l'édifice actuel sur le cap Gridley. Les initiatives de la direction du musée contribuent, pour une bonne part, à la mise en valeur du site voisin, La Grave, qualifié de « berceau des Îles ». Frédéric Landry écrit aussi plusieurs livres sur l'histoire de la navigation, de la pêche et des bâtisseurs de la société madelinienne. Depuis quelques années, le Centre des archives des Îles, désormais logé dans ses locaux modernes du cégep à La Vernière, s'est approprié une partie importante du travail de protection, de classement et de diffusion des documents historiques.

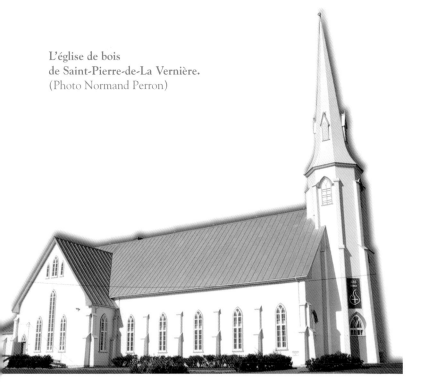

L'église de bois
de Saint-Pierre-de-La Vernière.
(Photo Normand Perron)

L'afflux des touristes au cours des dernières décennies a aussi eu un effet positif sur la production et la diffusion des arts. Des créateurs madeliniens se professionnalisent et font connaître leur art tant sur le continent qu'aux Îles, et quelques artisans, artistes et écrivains du continent s'installent pour de longs séjours ou choisissent la résidence permanente. En arts visuels, les disciplines se diversifient, comme les matériaux transformés : verre, céramique, pierre d'albâtre, sable, cuir. Le retard relatif de l'avènement du tourisme aux Îles a aussi permis d'y éviter le triste éventail offert ailleurs dans les boutiques des années 1950 avec leurs bibelots et colifichets d'origine asiatique. Le visiteur des Îles, surpris par la qualité et l'originalité des objets qu'on lui offre, dépasse habituellement la partie de son budget allouée aux souvenirs.

Au terme de ce récit, nombre de lecteurs sont peut-être encore surpris que le thème de l'isolement n'ait pas servi de trame à l'histoire de la région insulaire du Québec. En fait, les Madelinots, à l'origine des Acadiens déportés qui ont trouvé ce refuge au terme d'une longue errance, n'ont jamais vécu en autarcie. Quand la banquise se disloque au printemps, la mer invite à toutes les errances, vers la rive nord du golfe, vers Terre-Neuve et le Labrador, ou sur les routes commerciales des Maritimes et du Québec. En ce début du XXIᵉ siècle, les Madelinots reçoivent la visite estivale de dizaines de milliers de touristes. Il ne faut toutefois pas oublier que, 150 ans plus tôt, ils accueillaient déjà, au printemps, des milliers de pêcheurs formant les équipages des bateaux américains, français et néo-écossais attirés par la richesse exceptionnelle des fonds côtiers de l'archipel.

À plus petite échelle, ce thème de l'isolement sonnerait encore plus faux. Contrairement à la famille paysanne du continent qui pouvait presque s'autosuffire, celle des Îles vivait la coopération au quotidien. Au XIXᵉ siècle, l'équipe de deux pêcheurs est la règle et l'on compte en moyenne une seule barge pour deux familles. De la même façon, les équipages des goélettes se partagent les prises, chacun reçoit sa part des phoques et des morues. Quand, au XXᵉ siècle, le système marchand s'effondre, une forme élargie de coopération s'impose rapidement. Il est sans doute peu d'autres endroits en Amérique du Nord où la formule coopérative est adoptée sur une aussi large échelle, où la participation populaire est aussi massive.

En fait, l'entraide et la coopération semblent des dispositions ataviques chez les Madelinots. Déjà en Acadie, leurs ancêtres dispersés en petites communautés isolées faisaient du soutien entre les individus et les familles une nécessité. Le fait de s'installer sur les petites îles perdues dans le golfe n'a pu que renforcer le besoin de se serrer les coudes. Les maigres ressources terrestres de l'archipel impliquaient la gestion de la pénurie. Dès le XIXe siècle, les municipalités tiennent le registre des animaux qui paissent dans les pâturages communaux et l'importation de charbon permet de diminuer la pression sur le couvert forestier. Au XXe siècle, des voisins s'unissent pour gérer les sources d'eau potable et la pérennité de la ressource principale des Îles, le homard, est le fruit d'une collaboration dont il est peu d'exemple dans nos sociétés prédatrices.

Il n'est donc pas étonnant que la protection de cet environnement fragile soit aujourd'hui au cœur des débats qui animent la vie politique aux Îles, des discussions qui se raviment quand une falaise a reculé de plusieurs mètres au lendemain d'une tempête, ou que la route principale est envahie par les eaux d'une marée exceptionnelle. Au fil des ans, la question environnementale prend pour les insulaires l'allure d'une question existentielle. Sur des sujets fondamentaux qui engagent l'avenir de tous, comme la mise en exploitation de gisements gaziers ou le développement accéléré du tourisme, les avis sont tranchés et les camps opposés avancent des arguments valables. Plus que jamais, les Madelinots sont confrontés à l'adage : « On ne peut pas avoir le beurre et l'argent du beurre. »

Depuis maintenant plus de quatre siècles, les richesses des Îles ont attiré bien des entrepreneurs venus pour exploiter ses échoueries de morses et ses mouvées de phoques, son hareng, son maquereau et son homard, ses dômes de sel et peut-être, bientôt, ses gisements de gaz naturel. Les Madelinots des générations précédentes n'auraient jamais imaginé que les paysages de leurs îles seraient un jour aussi convoités que les autres ressources naturelles. L'archipel n'en est pas à son premier paradoxe. Les villégiateurs qui tombent amoureux des plus beaux sites en gâchent souvent la perspective en y construisant leur résidence. Au cours des prochaines années, les autorités municipales auront fort à faire pour préserver l'intégrité du patrimoine naturel.

« Aux Îles, c'est pas pareil » ont coutume de dire les Madelinots. Au terme de cette brève histoire, le lecteur doit en être convaincu. Pendant longtemps, le Madelinot a été un francophone catholique soumis à l'évêque irlandais de Charlottetown, il payait ses rentes foncières à un amiral anglais puis à ses descendants, travaillait dans une conserverie américaine, achetait ses provisions chez un marchand néo-écossais ou syrien, et envoyait ses enfants à l'école du Surintendant de l'Instruction publique du Québec. Ni Gaspésien, ni Québécois, ni même véritable Acadien des Maritimes, selon ces derniers, le Madelinot, comme ses Îles, n'est à nul autre pareil.

À la découverte des Îles

Le guide touristique annuel publié par l'Association touristique des Îles-de-la-Madeleine en collaboration avec Tourisme Québec constitue l'outil de base dont doit se munir le visiteur. Comme la région est la plus petite de celles qui sont décrites par ces brochures gratuites, elle bénéficie d'une couverture plus complète que celle des vastes régions touristiques. Pour bien préparer son voyage, le visiteur devrait aussi lire l'ouvrage de Pierre Rastoul et Gilles Rousseau, *Les Îles-de-la-Madeleine, itinéraire culturel*, publié par l'Éditeur officiel du Québec en 1979. L'ouvrage, déjà ancien, n'est plus disponible en librairie, mais on peut le trouver dans la plupart des bibliothèques scolaires ou publiques du Québec. La lecture du présent ouvrage ou de sa version anglaise, *The Îles de la Madeleine. A Brief History*, permettra au visiteur curieux d'ajouter la dimension temporelle à ses connaissances. Deux ouvrages que l'on peut ranger dans la catégorie des «beaux livres» peuvent aussi donner au visiteur l'impression de continuer son voyage ou d'offrir à ses amis une partie des merveilles qu'il a découvertes : Mia et Klaus, *Les Îles-de-la-Madeleine*, Montréal, Les Éditions de l'Homme, 1994, 81 p. ; Gilles Matte, *Carnets des îles de la Madeleine*, Montréal, Les Heures bleues, 2003, 128 p. La meilleure façon de découvrir le charme de l'archipel demeure toutefois celle de le parcourir à pied ou à vélo. Il faut alors se procurer l'ouvrage de George Fisher, *À la découverte des Îles de la Madeleine*, qui propose 27 parcours pédestres, de montée, ou cyclistes.

Le cadre naturel

Beaucoup de chercheurs se sont intéressés à la géographie et au patrimoine naturel, terrestre et marin de l'archipel. Une bonne part des quelque 1 300 entrées de la *Bibliographie des Îles-de-la-Madeleine* de Marc Desjardins, publiée par l'IQRC en 1985, touchait à cet aspect des connaissances et bien d'autres titres se sont ajoutés depuis. Le lecteur peut cependant se familiariser avec la géographie des Îles en lisant le premier chapitre de l'*Histoire des Îles-de-la-Madeleine* publié par l'IQRC en 2003, le livre que résume le présent ouvrage. Dans « Entre terre et mer » (p. 19-55), Paul Larocque retient l'essentiel de ce qu'il convient de savoir sur la formation de l'archipel et sur son patrimoine naturel. La vulgarisation des connaissances scientifiques sur la géographie de l'archipel a fait un grand pas quand Jeannot Gagnon et Jean-Marie M. Dubois ont dirigé un numéro thématique de la revue *Info Géo Graphes* (n° 1, avril 1992) dans lequel une trentaine de chercheurs résument leurs travaux et leurs expériences.

Patrimoine et histoire

Les Îles ont fait l'objet de nombreux travaux en histoire, en ethnologie et en sociologie. Certains n'ont pas été édités, les autres sont rarement disponibles sur le continent. Les quelques suggestions de lecture qui suivent concernent les ouvrages qu'il est possible de trouver à l'unique librairie des Îles, dans de nombreuses boutiques de l'archipel et dans celles des traversiers. Frédéric Landry, le fondateur du Musée de la Mer, a publié une dizaine d'ouvrages sur l'histoire des Îles, de la navigation, de la pêche et des biographies de personnages. En plus de la synthèse d'histoire des Îles qui a servi de source à l'actuel livre, on peut trouver : Chantal Naud, *Îles de la Madeleine, 1793-1993. Deux siècles d'histoire*, L'Étang-du-Nord, Les Éditions Vignaud, 1993,

242 p. ; Aliette Geistdoerfer, *Pêcheurs acadiens, pêcheurs madelinots*. *Ethnologie d'une communauté de pêcheurs*, Paris/ Québec, CNRS/PUL, 1987, 500 p. ; Byron Clark, *Gleanings On The Magdalen Islands*, Grosse-Île, [Byron Clark], 2000, 112 p. La langue parlée aux Îles a fait l'objet d'un important ouvrage, le *Dictionnaire des régionalismes du français parlé aux Îles de la Madeleine* de Chantal Naud (Édition Vignaud, 1999, 311 p.). Un *Glossaire madelinot : le sel des mots* par Sébastien Cyr (Le Lyseron, 1997, 149 p.) est aussi largement disponible.

Avant 1534   Les Amérindiens de la préhistoire fréquentent l'archipel plusieurs milliers d'années avant l'arrivée des premiers Européens. Les Micmacs vont venir chasser la morue et le phoque durant tout le Régime français.

1534-1536   En juin 1534, Jacques Cartier débarque sur l'île qu'il nomme Brion. En mai 1536, il longe l'archipel lors de son retour en France, après son hivernement à Québec. Dans le récit de son voyage, il appelle ces îles « Les Araynes ».

1520-1600   Les marins basques chassent la baleine le long de la côte du Labrador et dans l'estuaire et le golfe du Saint-Laurent. Ils viennent sans doute sur l'archipel, attirés par l'huile, l'ivoire et la peau des morses.

1591-1597   Série d'expéditions françaises et anglaises aux îles de la Madeleine. Bretons, Basques et Anglais s'y affrontent en juin 1597.

1608-1632   Champlain longe les rochers aux Oiseaux en 1608. Il entre dans la baie de Plaisance en 1626. Sur sa célèbre carte de 1632, l'île du Havre Aubert apparaît sous le nom de « La Magdelène ».

1663-1760   Pendant un siècle, des chasseurs et pêcheurs français, canadiens, acadiens et micmacs fréquentent les Îles durant l'été. Certains y passent parfois l'hiver.

1765   Un américain, le colonel Richard Gridley, exploite les échoueries de vaches marines (morses) avec l'aide de

17 Acadiens et 5 Canadiens. Plusieurs s'installent à demeure.

1774	Les Îles sont soustraites à la juridiction de Terre-Neuve et rattachées à la province de Québec.
1792	Le père Jean-Baptiste Allain arrive de l'île française de Miquelon avec 250 réfugiés acadiens, ce qui porte la population à environ 400 personnes.
1798	L'amiral britannique Isaac Coffin devient propriétaire à perpétuité de l'archipel des îles de la Madeleine.
1811	Mgr Plessis, évêque de Québec et responsable de tous les catholiques de l'Amérique du Nord britannique, visite l'archipel.
1831	Le recensement du Bas-Canada dénombre 195 familles, dont 20 anglophones, pour un total de 1 057 Madelinots.
1840	L'abbé Alexis Bélanger, arrivé aux Îles en 1839, fonde la première école.
1847	Le Miracle, un trois-mâts chargé d'immigrants en provenance de Grande-Bretagne, fait naufrage à la pointe de l'Est. Environ 150 des 446 passagers perdent la vie.
1850	Premier voyage du révérend George J. Mountain, l'évêque anglican de Québec.
1852	Arrivée du premier pasteur anglican, Félix Boyle.
1854	Véritable début de l'enseignement primaire sous la direction de l'inspecteur d'écoles Jean-Baptiste Félix Painchaud, notaire et marchand.
1859-1860	Une épidémie hivernale emporte au moins 73 petits Madelinots de moins de 10 ans.
1862	Construction du palais de justice de Havre-Aubert.
1870	Entrée en service du premier phare de l'archipel, sur le rocher aux Oiseaux.
1871	Le premier recensement du Canada compte 3 172 Madelinots qui élèvent plus de 10 000 têtes de bétail.
1875	Ouverture de la première conserverie de homard à Havre-aux-Maisons.

1875   Début de la liaison maritime Pictou–Souris–Îles-de-la-Madeleine avec le vapeur Albert.

1875   En novembre, les goélettes Espérance, Président et *Stella Moris* s'écrasent sur les côtes du Cap-Breton : 18 marins madeliniens périssent.

1877   Les sœurs de la Congrégation de Notre-Dame ouvrent un couvent à Havre-aux-Maisons.

1882   Un câble télégraphique sous-marin est installé entre le Cap-Breton et la Grande Entrée, et le réseau terrestre est étendu jusqu'à l'île du Havre Aubert, au sud-ouest.

1891   Une épidémie d'influenza fait 60 victimes, en juin.

1897   Un total de 63 conserveries de homard sont en opération.

1897   Première élection dans le nouveau comté provincial des Îles-de-la-Madeleine. Le docteur Patrick Peter Delaney, de Havre-aux-Maisons, est élu.

1899   Les abbés d'origine acadienne Jérémie Blaquière, Isaac Thériault et Samuel Turbide commencent leur long service dans les paroisses de Havre-Aubert, La Vernière et Havre-aux-Maisons.

1900-1909   Construction des quais de la pointe Shea (Havre-Aubert), de Cap-aux-Meules, de Bassin et de Pointe-Basse et des phares de l'île d'Entrée et de l'île Brion.

1901   On recense 6 026 Madelinots.

1905   Le deuxième député provincial des Îles, Robert Jamieson Leslie, périt dans le naufrage du *Lunenburg*.

1905   Année record de l'industrie du homard. Les 45 conserveries produisent 885 000 boîtes d'une livre de chair du crustacé.

1906   Inauguration de la nouvelle église anglicane de *St. Luke's* à Cap-aux-Meules.

1910   Fin de la pêche au homard dans les lagunes et ouverture de la pisciculture de Havre-aux-Maisons.

1911-1921	La pire vague d'émigra-tion des Madelinots vers le continent. Dans le bilan migratoire négatif de 6 000 Madelinots entre 1900 et 1950, plus de 1 500 partent durant cette décennie.
1912	Ouverture du poste télégraphique sans fil à Cap-aux-Meules.
1913	Quelque 70 barges à moteur sont en opération.
1914	Début de la construction des routes de gravier.
1919	Ouverture du nouveau couvent de pierre de Havre-aux-Maisons et de l'académie Saint-Pierre à La Vernière.
1920-1960	Chaque automne, des centaines de bûcherons partent des Îles pour travailler dans les chantiers de la Côte-Nord.
1924	Depuis cette date jusqu'à 1960, le *Lovat* assure le service Pictou–Souris–les Îles.
1926	Paul Hubert publie *Les Îles de la Madeleine et les Madelinots.*
1927-1929	Construction du pont de bois pour franchir le goulet entre les îles du Havre aux Maisons et du Cap aux Meules.
1927	Début du service de la poste aérienne hivernal entre Charlottetown et les Îles.
1930	Faillite de Frank W. Leslie.
1932-1933	Fondation des coopératives de pêcheurs de Havre-aux-Maisons et de Gros-Cap.
1936	Hormidas Langlais, de l'Union nationale, devient député provincial des Îles. Il le restera jusqu'en 1962.
1937	Les 17 établissements de transformation des produits de la mer emploient 674 personnes.

1937-1938   Construction de l'hôpital de Cap-aux-Meules. Sa gestion est confiée aux sœurs de la Charité de Québec.

1938-1940   Fondation des caisses populaires de La Vernière, Havre-aux-Maisons, Grande-Entrée, Bassin et Havre-Aubert.

1941-1945   Onze Madelinots membres du *Royal Rifles of Canada* meurent au combat à Hong Kong ou dans les camps de prisonniers japonais.

1944   La Coopérative de transport maritime et aérien (CTMA) obtient sa charte.

1946   Les paroisses catholiques de l'archipel sont détachées du diocèse de Charlottetown et incorporées à celui de Gaspé.

1949   Création de la municipalité de village de Cap-aux-Meules.

1951   Le recenseur dénombre 10 000 Madelinots.

1953   Inauguration, le 6 décembre, de la centrale de Cap-aux-Meules et début du service d'électricité sur l'archipel.

1954-1955   Fermeture de la lagune du Havre aux Basques lors de la construction de la route principale.

1955   Six congrégations catholiques sont à l'œuvre aux Îles : les sœurs de la Congrégation de Notre-Dame, les sœurs de la Charité, les filles de Marie de l'Assomption, l'Institut séculier des oblates de Marie-Immaculée, les frères du Sacré-Cœur, les pères Maristes.

1956   Début de la construction de l'aéroport de Havre-aux-Maisons.

1959   L'archipel enregistre 445 naissances, un sommet historique.

1960   Le ministère fédéral des Transports cède à la compagnie Bell le réseau téléphonique des Îles. Depuis 1969, Télébec a pris le relais.

1965   Fondation, en juillet, du journal *Le Madelinot*. Il paraîtra jusqu'en 1976.

1965	Sommet historique des débarquements des produits de la pêche, toutes espèces confondues : 33 500 tonnes métriques.
1966	Ouverture de l'école secondaire de La Vernière. Elle deviendra école secondaire polyvalente en 1969.
1968-1975	Déclin successif de toutes les espèces pêchées aux Îles.
1969	L'abbé Frédéric Landry fonde le Musée de la Mer à Havre-Aubert.
1971-1973	La compagnie *Gorton Pew* achète six grands chalutiers.
1972	Un Madelinot, Achille Hubert, fonde l'hebdo *Le Radar*.
1972	Ouverture, dans les locaux de l'hôpital de Cap-aux-Meules, du Centre local de santé communautaire (CLSC) des Îles.
1973	La fréquentation de la polyvalente atteint un sommet avec 1 807 étudiants.
1976	La compagnie américaine *Gorton Pew* annonce son départ. Ses actifs sont repris par Madelipêche dans laquelle la fédération des Pêcheurs-Unis du Québec est majoritaire.
1976	La péquiste Denise Leblanc bat le libéral Louis-Philippe Lacroix, député provincial des Îles depuis 1962.
1980	Le Madelinot Paul Duclos entreprend d'offrir le service de câblodistribution sur l'archipel.
1981	La radio communautaire CFIM entre en ondes le 15 novembre.
1981-1983	Modernisation de l'aéroport de Havre-aux-Maisons.
1983	Ouverture de la mine de sel à la Grosse Île.
1983	Le collège de la Gaspésie et des Îles ouvre un campus dans les locaux de la polyvalente.
1986	La population de l'archipel atteint un sommet historique avec 14 532 Madelinots recensés en juin.
1988	Interdiction de la chasse aux blanchons (phoques nouveau-nés).

1991	Inauguration de la centrale thermique de Cap-aux-Meules d'Hydro-Québec.
1992	Construction du nouveau Centre hospitalier à Cap-aux-Meules.
1994	Ouverture du centre de tri et de compostage des déchets solides à Havre-aux-Maisons.
1996-2001	La population insulaire baisse d'un millier de résidants entre les deux recensements.
1997	La CTMA achète *Le Madeleine* pour remplacer le *Lucy Maud Montgomery* en service sur la liaison Souris–les Îles depuis 1975. 
2000	La valeur des débarquements de homard dépasse les 21 millions de dollars.
2002	Première réunion des élus de la nouvelle municipalité des Îles-de-la-Madeleine, en janvier. 
2002	Mise en service du navire de croisière *CTMA Vacancier*, entre Montréal et Cap-aux-Meules. Il remplace le *CTMA Voyageur* en usage depuis 1988.
2003	La coopérative d'alimentation La Sociale de L'Étang-du-Nord, fondée en avril 1945, ferme ses portes.

2004	Le *CTMA Vacancier* commence ses croisières hivernales en février, entre Matane et Cap-aux-Meules.
2004	La municipalité des Îles impose un moratoire sur la construction de nouvelles résidences en zone agroforestière.

Provenance des photos

1. Extrait de la carte de Champlain de 1632. (Samuel de Champlain, *Les voyages de la Nouvelle-France*, Paris, 1632)
2. La famille Patton à La Vernière, en 1908. (Coll. Musée de la Mer)
3. Conserverie de Havre-Aubert, en 1930. (Coll. Musée de la Mer)
4. L'église, construite en 1875, domine l'habitat dispersé de Havre-Aubert. (ANC – PA 34034)
5. La famille Cyrice Painchaud, en 1912. (Coll. Musée de la Mer)
6. Voiture palanquée sur le *Lovat*, vers 1950. (Coll. Musée de la Mer)
7. Le pont et les installations de pêche de Havre-aux-Maisons, en hiver. (Photo *Canadian Airways Ltd*, Montréal)
8. Le temps des foins à Havre-Aubert. (Coll. Musée de la Mer)
9. Le CTMA *Voyageur*. (Coll. Musée de la Mer)
10. Le cœur du village de Cap-aux-Meules. (Coll. Musée de la Mer)
11. Canotage à la base de plein air de Grande-Entrée. (Centre d'archives des Îles-de-la-Madeleine, Fonds du journal *Le Radar*, 31)
12. La chevauchée des Îles. Les plages des Îles se prêtent bien aux randonnées équestres. (Coll. Musée de la Mer)
13. Le *Madeleine*. (Photo Normand Perron)
14. Le 2 juin 2002, les Madelinots visitent le CTMA *Vacancier*. (Photo Normand Perron)
15. « La Sociale », en 2001. (Photo Normand Perron)

Table des matières

INTRODUCTION 7

Chapitre 1
Les îles du milieu du golfe 11

La naissance des îles de la Madeleine (11) Un
domaine terrestre restreint et fragile (14) Dunes et
lagunes, des milieux de vie (19) La mer, généreuse et
cruelle (22)

Chapitre 2
**L'exploitation saisonnière et l'établissement
pionnier** 29

Au temps de la vache marine (30) Les Acadiens
s'installent (35) Une région d'élevage (41) Le
peuplement se renforce, 1830-1875 (45) Une
économie tributaire de la pêche (48) Les marchands
et les relations commerciales (52) La mise en place
des structures d'encadrement (54) Une société plus
complexe (60)

Chapitre 3
Le homard des Îles, 1875-1930 63

Le trésor des lagunes (64) Les Madelinots, des
pêcheurs côtiers (69) Les limites de l'agriculture de
subsistance (73) Les sirènes du continent (77) L'ère
des communications modernes (81) Marchands

anglophones et pêcheurs acadiens (87) La santé, une
responsabilité familiale (91) Les progrès de l'alphabétisation (93) L'acadianisation du clergé (96) La
naissance de la vie démocratique (100)

Chapitre 4
Coopération et développement, 1930-1960 103

Les Îles dans un monde en crise (104) Coopération
et développement économique (106) Une économie
encore tournée vers les Maritimes (108) Faire sa vie
aux Îles (115) Les communautés religieuses et
l'éducation (118) Les soins de santé, une responsabilité québécoise (121) La démocratie en marche
(122) La consommation et les médias (127)

Chapitre 5
L'archipel, terre d'accueil, 1960-2004 131

L'intégration au Québec (132) Un endroit où il fait
bon vivre (134) L'échec de la diversification des
pêches (136) Gagner sa vie autrement (143) Les
Madelinots s'enrichissent (152) La formation pour
le marché du travail (154) Vivre longtemps et en
santé (157) Les débats politiques et la vie associative
(159) L'environnement, une question commune
(163) Les voix des Îles (165) La révolution culturelle (167)

Conclusion 173

Pour en savoir plus sur les Îles-de-la-Madeleine 177

Repères chronologiques 181

Achevé d'imprimer
sur nos presses
mai 2004